MIURA AYAKO LITERATURE MUSEUM

三浦綾子記念文学館

手から手へ～三浦綾子記念文学館復刊シリーズ③

嵐吹く時も　上

三浦綾子

嵐吹く時も　上　もくじ

※作品に登場する商店の屋号(やごう)を、原作では「中」と記載していますが、この本では「カネナカ」と表記していますのでご了承ください。

カバーデザイン　齋藤玄輔

眉毛島

眉毛島

一

志津代は茶の間の畳の上で浴衣の膝を崩して、ひとりお弾き（はじき）をして遊んでいる。血色のよい指が、薄青いガラスのお弾きを弾く時、母親似の黒目勝ちの目に、利（き）かん気がちらりと走る。首を傾ける度に揺れるおかっぱ頭の髪の豊かさも、母のふじ乃に似ていた。

ひと間置いた台所のほうで、昼食の後始末をしている勝手働きのミネとサイの話し声が食器のふれ合う音にまじって、途切れ途切れに聞こえてくるのも暑苦しい。

「宿屋のさあ、山形屋のさあ、お内儀（かみ）さんが……」

「……へえ、あの人がねえ……」

少しきんきんと高い声は、今年十八歳のミネで、ややかすれた声は、一昨年の秋、漁に出た夫を嵐で失ったサイである。

この苫幌村（とまほろむら）で、唯一（ただ）軒日用荒物雑貨、食料、衣料品を扱う志津代の家カネナカには、父中津順平、母ふじ乃、一人娘の志津代、そして大番頭、中番頭、小僧、女中のサイとミネ、合わせて常時十人はいる。その上、臨時の手伝いの男や女が、入れ替わり立ち替わり二、三人はいたから、食器の数も少なくない。しかも食事時にこの家を訪れる者は、役場の書記であれ、網元の使い走りの者であれ、ふじ乃の、

「さ、遠慮は無用、食べたり食べたり」

の気さくな言葉につい誘われて、ぴかぴかに拭きこんだ板の間に並べられた箱膳の前に坐ってしまうから、尚のことだ。

ダシを充分に取ったこの家の味噌汁の味は格別で、どんぶりに山と盛られた胡瓜や茄子の糠味噌漬もうまかったが、何より秋田から直送の米がうまかった。ふだんは麦飯ばかりで、白米など盆か正月にしか食えぬ者もあったから、カネナカの食事は大ごっつぉうと喜ぶ者もいた。

「鄙には稀」という言葉がある。しかしふじ乃は東京や京都に行ったとしても、尚稀と言える器量であった。特に黒目勝ちのその目はいつも情をふくんでややうるみ、じっと見つめられでもしようものなら、男たちはうろたえて、つい視線を外してしまうのだった。ふじ乃は立っても坐っても、体の線が美しく、すっきりと結い上げた丸髷姿で只店に立っているだけで、「まあ、絵姿みたい」と、女客たちも惚れ惚れするのだった。

飯時に毎日幾人かの客があるのは、このふじ乃と言葉を交わしたい者が多いためかも知れなかった。このふじ乃に、一人娘の志津代は「瓜二つ」と言われたが、志津代はどちら

かと言えば、母親より父親の順平が好きだった。

　中津順平はふじ乃より十四歳年上の四十四歳で、恰幅のよい男であった。目が細いというためだけでなく、順平は誰にも温厚な印象を与えた。順平は明治十一年十六歳で、唯一人郷里の佐渡、真野村を出、北海道に渡って呉服物の行商をした。その行商で資金を得、この日本海岸の、眉毛島と呼ばれる天売・焼尻の島の間近に見える苫幌に店を持った。嫁も娶らず働きつづけて、同じ郷里からふじ乃を迎えたのは、今から十二年前のことである。目のさめるような、しかも十四も年下のふじ乃をこの村に連れて来た時、人々は驚きのあまり、「狐に欺されたようだ」と言い合った。勤勉一途の、酒も煙草もたしなまぬ順平と、あでやかなふじ乃との取合わせは、村人には未だに得心がいかない。こんなにきれいな若い娘を蝦夷くんだりまで嫁に出す親が、この世にいるとは思えない。もしかしたら、どこかの芸者を落籍かせたのではないかと疑ぐる者もいたが、ふじ乃には芸者をしたらしいふうもない。ふじ乃は結構こまめに働いて順平を助け、今では間口七間、奥行五間の店舗を持ち、つづいてその裏に、間口同じく五間、奥行八間の住居を構え、更に裏庭に白壁の土蔵を三つも持つ大店に築き上げていた。沿岸でも有数の鰊の漁場を持つ苫幌に、いち早く目をつけた順平の慧眼と、骨身惜しまぬ実直さと、誰に対しても頭の低い温厚な人柄と、そしてふじ乃の協力と、それら一切が渾然としてこの成功を見たのであろう。

「その気になりゃあ、カネナカには苫幌の土地一坪残らず買い占める金がある筈だ」

村人たちが嫉妬ではなしに讃嘆(さんたん)してささやき合うほどの商いであった。事実、順平が苫幌に持つ土地は少なくなく、「カネナカの旦那は他人の土地を通らずに、どこへでも行けるんだから大したもんだ」とさえ言われた。また海産干場(かんば)と言って、海の地主とも言える権利を幾箇所も持ってい、そこからの上がりも大きかった。それでいて人々が、順平をほめこそすれ陰口を叩くことのないのは、その人柄の故であることはむろんだが、時に応じて惜しみなく、金も物も散らすからであった。苫幌の小学校に、この辺りでは見られぬ大きなオルガンを寄贈したのも、神社の改修に進んで多額の寄進をしたのも順平だった。歳末の景品には、どんな買物客にも白米一升を公平に贈って喜ばれた。

それに輪をかけたように気前のよいのがふじ乃で、白米一升の景品も実はふじ乃の発案だろうと噂をされた。ふじ乃は子供が親の使いで買物に来ると、必ず飴玉の一つや二つは駄賃に紙にくるんで持たせたし、客が貧乏の苦労話を始めると、「それは、それは……」とすぐに涙ぐみ、着ている羽織を持たせて帰すなどは朝飯前で、時には布団を背負わせて帰すことさえあった。

但し、ふじ乃は涙もろくもあったが、生来気性が激しく、一旦何か気に入らぬことがあると、

「生意気言うんじゃないよ。それなら、あの布団を返しなよ」

　と責め立て、ちょっとやそっとの詫びには耳を傾けなかった。だがその叱られた者が布団を背負って、しょんぼりやって来たりすると、

「馬鹿だねえ。本気にして返しに来る者がいるものか」

　と、伝法に言って、屈託なく笑うふじ乃でもあった。このように、時として人々はふじ乃にふりまわされることはあったが、それでも順平よりふじ乃に人気があった。順平は信頼され尊敬される対象だったが、冗談を叩く相手というわけにはいかなかった。ただ、一人娘の志津代が母より父になついて、その大きなあぐらの中に、数えて十一歳にもなった今でも、毎日すぽんと、そのかわいい尻を落した。が、母のふじ乃の膝に、志津代は絶えて坐ったことがない。

　それでも、毎朝志津代の髪を梳いてくれるのはふじ乃で、肩までの豊かな髪を、ふじ乃はその日その日の気の向くままに、ある時はおかっぱ頭に、ある時は頭の上に饅頭ほどに小さな髷を結ってくれたりした。そして時には志津代の肩を抱いて、鏡台に映る志津代に、

「あのね、女というものはね、髪を乱してならんのよ。髪の乱れは、心の乱れと言うからね」

　と、言って聞かせてくれるのだった。以前は志津代にはその言葉がよくわからなかった。そのうちに、髪の乱れという言葉はわかるようになった。が、心の乱れという言葉がわかっ

たのは、十歳になった去年の頃からで、ふじ乃が大声で、

「あの上げた角巻をお返し！　この恩知らずが！」

　などと、漁師の女房を罵(ののし)るのを見たりすると、

（あれが心の乱れというのじゃないかしらん）

　と、志津代は心のうちに呟(つぶや)くようになった。父の順平は心の乱れなど見せたことがないのに、母の乱れはひと月に二、三度は見る。それでいてふじ乃は、

「髪の乱れは心の乱れと言うからねえ」

　と、時折鏡の中でにっこりと笑いかけるのだ。その笑顔を、わが母ながら美しいと志津代は思う。だがこの頃は、ふじ乃は不意に淋しい目になって黙りこみ、志津代の髪をいつまでもいつまでも梳きつづけていたりする。そんな時、志津代自身もひどく淋しい気持になる。何かはわからぬが、妙に不安にかられてくる。実はそんな時こそ、ふじ乃の心に乱れるものがあるのだが、十一歳の志津代にはまだわからぬことであった。

　髪と言えば、ふじ乃自身の丸髷は、何日かに一度髪結のおふみが、道具を入れた四角いブリキの箱を下げて来て結い上げる。そして次に結い上げるまでの毎日は、おふみが毎朝撫(な)でつけに来るのだった。このふじ乃の、風呂場で髪を洗っている時の姿が、志津代は好きだ。志津代の髪よりも何倍も長いその黒髪を、平たい桶(おけ)の湯の中に泳がせ、真っ白な二

の腕を上げて洗っている姿は、全く見事な大人の女の姿であった。

「……山形屋の文治さんは、よう勉強が出来るとね」

「んだ……。顔ば見たらわかる。ありゃさかしい顔だもね」

九州出身のサイと、秋田出身のミネが、それぞれの国なまりで、まだ山形屋の噂をしている。

山形屋の次男西館文治は、鼻筋が通っていて眉が凜々しく、いかにも利発に見える。いや、山形屋で鼻筋が通って賢げに見えるのは、文治だけではない。長男の恭一、三男の哲三も、似た顔立ちだ。それぞれ数年前死んだ父親の長吉似なのだ。

上背のある長吉は、その立派な体格にふさわしい顔立ちをしていた。濃い一直線の眉、深みのある大きな目、きりりとしまった唇、それらが高い鼻に調和していた。今から十八年前の春、長吉は苫幌にぶらりとやって来た。紺の半纏姿に、風呂敷包みを一つぶら下げただけの、風来坊のような風体だったが、その顔には品格が滲み出ていて、武家の出ではないかと誰もが思った。長吉は、旅人宿の山形屋に投宿した。山形屋の客は旅商人がほとんどだった。網元に網を売る商人、越中富山の置薬屋、呉服小間物の行商人などが、一日二日と泊るのが常で、三日も滞在する客は珍しい。当然長吉も一日二日で立ち去るものと思われたが、長吉は幾日経っても苫幌を出て行く様子がなかった。一日中部屋に閉じこもって酒を飲んでいるかと思うと、浜に出て、半日も腰をおろしたまま海を眺めていたりもした。風体から言って、そんなに金を持っているとは思えない。人々は山形屋がひどい目に遭わねばよいと危ぶんだのも無理はない。

ところがこの長吉に、亭主の竜造が惚れこんだ。もともと竜造夫婦には子供がなかった。今いる跡取り娘のキワは、五歳の時にもらった養女である。キワは秋田の貧しい農家に生まれたが、貧しさに耐えかねた親が、キワを置き去りにして北海道に逃げた。哀れに思った近所の者が、旅の序(ついで)にキワを連れて、その親を探しに来てくれた。が、広い北海道のことと て両親の行方は皆目つかめない。キワはこの山形屋に、連れの者と共に泊り、子供のない竜造夫婦の情を得て、養女に迎えられた。人の良い竜造夫婦に可愛がられたキワは、控え目な気立てのよい娘に育った。

このキワと長吉が、突如夫婦の盃(さかずき)を交わしたのは、長吉が現れてひと月経つか経たぬ頃だった。

「山形屋の人のいいのにもほどがある」

村人たちは驚き呆(あき)れた。

「なあに、今に出て行くさ」

「身代根こそぎ持って行かれるかも知れんぞ」

　人々は、ハラハラと長吉の挙動に注目した。婿（むこ）となっても、長吉は格別働くふうはなかった。さすがに朝から酒を飲むことはやめたが、海べで半日ぼんやりと過す長吉の姿を人々は見た。だが、今に逃げると見ていた村人たちを裏切って、長吉は山形屋にとどまっていた。

「あれじゃ、まるで飲み食いは只、その上娘も只だ。とんだ奴に山形屋も取りつかれたものだ」

　長嘆息をする人々に、突如思いがけぬことが起きた。それは貧弱な山形屋の玄関の改造が始まり、広いがっしりとした風呂場の別棟を建てて、見た目にも、ちょっとした町の宿屋のように変えてしまったことである。しかも、その金を出したのは、何と長吉だという話であった。人々の長吉に対するまなざしが変わった頃、長吉には漢文の素養があることが知られ、

「エゲレス語まで出来るんだとよ」

　という噂さえ立った。いつの間にか村の若者たちが山形屋に集まって、政治の話などを長吉から聞く頃には、「山形屋の若旦那」と、誰もが、一目置くようになっていた。気立てのよいキワとの夫婦仲もよく、恭一、文治、哲三と、男ばかり三人の子をあげた。志津代の父中津順平とも、長吉は親しく行き来して、碁や将棋の友でもあった。将棋の腕は長吉のほうが上だが、碁は順平が強かった。一時期は兄弟のように親しかったが、その二人の間にこんなことがあった。

順平は毎年、盆には生まれ故郷の佐渡に帰る。その年も順平は佐渡の土産を数々持って苫幌に戻って来た。佐渡は真野の生まれである順平の誇りは、家紋であった。順平の家紋は順徳天皇拝領の丸に橘（たちばな）の紋である。順平の実家は桶屋で、父は桶造りの名人と言われた。その先の先祖のことはわからないが、天皇から紋をもらっているくらいだから、何か功があったにちがいない。京都から、あるいは順徳天皇に従って来た供の一人かも知れぬと想像された。何（いず）れにせよ、順平にとって順徳天皇は只の天皇ではなかった。故郷の真野宮には順徳天皇が祀（まつ）られており、また同じ真野の中に陵（みささぎ）があり、天皇が植えたという梅の古木もあった。幼い時からそんな中に育った順平にとって、それらはすべて大いなる誇りであった。

ふだんは口数の少ない順平だったが、その日は佐渡から戻った喜びもあって、訪ねて来た長吉や、妻のふじ乃や、大番頭の片山嘉助に楽しげに土産話をしていた。そして、真野の寺の僧が書いてくれたという短冊を取り出して見せた。

いざさらば磯打つ波にこと問はむ
沖の方には何事かある

この御製を真野の村人は知らぬ者がない。後鳥羽上皇が隠岐に移されたと聞いて、佐渡に流された順徳天皇が案じて詠んだ歌である。「沖の方」は「隠岐の方」にかけた言葉だ。

長吉は短冊を受け取って、その達筆をすらすらと読み下し、

「ああ、後鳥羽上皇が隠岐に流された時のあの歌だな」

と呟いた。

「さすがは山形屋の若旦那だ。これは、ちょっとやそっとで読める字ではない」

順平は感嘆して言い、

「住職が二枚書いてくれた。一枚は山形屋さん、あんたに上げよう」

と、満面に笑みを浮かべて言った。が、長吉は、

「ありがたいが……山形屋なんぞにはもったいないからねえ」

そっけなく短冊を順平の手に返した。いや、単にそっけないだけではなかった。その時、長吉が鼻先で笑ったように、順平にもふじ乃にも見えた。あとで番頭の嘉助も同じことを言っていたから、これは気のせいではなかった。「仏のカネナカ」と言われる順平だが、この時ばかりはむっとした。順平としては、事自分のことではない。村人が誇りとしている順徳天皇に関わることである。長吉はその順平の表情に目を注めて、帰って行った。

長吉が帰ったあと、順平はふじ乃に言った。

「あの男の正体は何だろうな」

徳川幕府が三百年つづいて、明治維新となった。それからまだ四十年と経ってはいない。

依然として徳川方に心を寄せている者たちも少なくはない。空知集治監や樺戸集治監には自由民権の国事犯も数多く繋(つな)がれていた。

「何れにせよ、危険な男だ」

順平は呟いた。

そんなことがあって、いつとはなしに長吉と順平の間に溝が出来、行き来も間遠になった頃、長吉は突如一夜の腹痛で死んだ。食中毒とも、腸捻転ともわからぬが、激しい痛みであった。ころげまわりながら、長吉は、

「キワ、キワ」

と呼んだ。何か言いたげであった。キワが長吉の肩をおさえて唇に耳を寄せると、

「わしの名は……長吉ではない……」

と、辛うじて言った。思いがけぬ言葉だった。

「わしは……山形の佐藤文(ぶん)……」

と、尚も口を動かしたが、またしても襲った激痛にころげまわり、やがてこと切れた。その場に居合わせた、その時十歳の恭一は、「佐藤軍之進」と言ったと言い、二歳年下の文治は「文之助」と聞いたと言い張った。これが村人の口から口に伝わり、

「山形屋のキワは、名前も知らぬ男に、三人も子供を生まされて」

と笑う者もい、同情する者もあった。

長吉の死後意外なことがわかった。長吉はキワの婿となって盃は交わしたが、入籍はしていなかったのである。恭一、文治、哲三の三人は、何れもキワの私生児として届けられていた。式は挙げても、直ちに入籍する者などほとんどない時代で、わが子が生まれても、三カ月や半年遅れて届け出ることなど珍しくなかった。とは言っても、長吉の場合、何か理由があったにちがいないと、竜造夫婦は気がついた。頼母(たのも)しい男ではあったが影があった。本名をいまわの際(きわ)まで、妻にも子にも知らせることの出来ない深い理由があったにちがいないと、竜造夫婦はそのことが心にかかって鬱々(うつうつ)としていた。悪いことはつづくもので、竜造夫婦は長吉の死んだ翌年、二カ月置きにこの世を去った。

二

以来、キワは三人の子を抱えて、山形屋を守って来たが、山形屋とカネナカの間に出来た溝は長吉が死んでも何とはなしに残っていて、カネナカの使用人たちは、表立って山形屋の噂をすることさえ憚(はば)かった。中には、山形屋の子供たちを見ると、露骨にいやな顔を見せる小僧もいた。

「どこの馬の骨かわからぬ者の子供」

との侮蔑感が、つい顔に出るらしかった。が、キワも子供たちもカネナカに買物に行かぬわけにはいかない。日用雑貨、荒物、食料品等を一手に扱う店が、苫幌村には他になかったからである。

苫幌村の集落は、海岸の漁師たちがつくる浜べの家並と、山の手の市街から成っていた。山の手には小学校、寺、神社、役場、医院、風呂屋、床屋、畳屋などがあり、教師や吏員、産婆、大工などが住んでいた。山形屋もこの市街地にあり、後に鉄道が敷かれた時、駅もこの山の手に置かれた。

志津代の家カネナカは浜にあった。山の手の台地からゆるやかな崖を斜めに道を下りて来ると、すぐ崖下にカネナカの白壁の蔵が三つ並んでいた。この蔵を見ると苫幌の人々は、「蔵の三つもあるでっかい店のある村」に住んでいる幸せに似た感情を覚えた。カネナカはそんな頼母しさを感じさせる店だった。

間口七間、奥行五間の店の、半分は土間で、半分は畳敷になってい、この一段高い畳敷に、子供以外の客たちは腰をかけて、世間話をしながら、ゆっくりと買物をする。土間には塩、醬油（しょうゆ）、酒、油、黒砂糖などの樽や叺（かます）が置いてあり、酒や醬油や油は升売りをしていた。下駄、地下足袋、座敷箒、庭箒、はたき、桶、ざる、赤、白、黄、黒などの縫糸などが、あるいは吊るされ、あるいは立てかけられてある。更に畳の上に造られた棚には反物、布地、半纏などが整然と置かれ、鉛筆、ノート、煎餅、飴玉、駄菓子、マッチ、石鹸などの所狭しと並べられた一角もある。とにかくどこを見ても品物があふれていて、この店に入っただけで、子供も大人も心楽しくなるのだった。

だが、カネナカの一人娘志津代だけは、買物の楽しさを知らなかった。それだけに志津代は、買物に来る子供たちを見ると、羨望のまなざしになる。志津代は、買いに行かずとも欲しい物は何でも自分の店で手に入る。但し、客たちのように時間をかけて、品物を物色する余裕は、志津代には許されていなかった。

「さ、邪魔になるから」

と、早々に追い立てられ、何が店にあるのかさえ、ゆっくり眺める暇がない。で、志津代は時折そっと店をのぞくことがある。家屋の左手には一間幅の土間の廊下が、表から裏まで突きぬけている。今日のような暑い日には、この細長い廊下の両端の出入口の戸を開けると、浜風が吹きぬけて、ひんやりと肌に快い。今も、お弾き遊びに飽きた志津代は、お弾きを小箱に入れて、紫檀（したん）の茶ダンスの上に置くと、廊下の土間に下り立った。風が素足の足もとに心地よくふれる。サイとミネは、昼食の後始末を終えて、裏の畠にでも出かけたのか、台所はひっそりとしている。山の上から筧（かけひ）で引いて来る水の、水桶に流れ落ちる音がひそやかに聞こえてくるだけだ。

志津代は赤い緒の草履を突っかけて、店のほうに歩いて行った。この土間の廊下と店の間を仕切る板戸がある。その板戸を志津代はそっと開けた。客の姿はなかった。帳場には父の順平が坐って算盤（そろばん）を弾（はじ）いてい、母のふじ乃と番頭の嘉助は、呉服棚の前で浴衣地を広げて、何か話し合っていた。中番頭の久作は、大あぐらをかいて、そのあぐらの中に置いた下駄に、鼻緒を器用にすげている。三人の小僧はその傍らで久作の手もとを眺めていたが、一番古参の勘太が大きく口をあけて欠伸（あくび）をした。と、その時、

「やれ、暑いなあ、今日も」

と、店にひと足足を入れたのは、風呂屋のお内儀（かみ）だった。お内儀は太り肉（じし）の体をゆす

るようにして、外股で歩く。あけっぴろげな性格が苫幌の誰にも親しまれていた。

「ま、いらっしゃい。ほんとに暑いこと」

ふじ乃は広げていた浴衣地を片寄せて、愛想のよい笑顔を風呂屋のお内儀に向け、

「誰か冷たい麦茶を持っておいで」

と、命ずる言葉はきびきびと歯切れがよかった。勘太は素早く傍らの小僧の肩を指で突つき、

「へーい」

と、返事だけは大きかった。店の戸口に下げた紺ののれんにカネナカの字が白く染めぬかれ、ひと吹き吹いた浜からの風に、よじれて踊った。風呂屋のお内儀が畳の上にその大きな腰をおろした時、男の子や女の子たちが五、六人固まって入って来た。山の手の子供たちで、七つ八つから、十三、四の小学生たちだった。

志津代は思わず、自分の肩幅ほどに板戸を開けた。医師の娘や寺の息子にまじって、山形屋の文治の顔もあったからだ。文治は志津代より三歳年上の高等科三年生だった。山形屋の兄弟は、どれも頭がよいと評判だったが、わけても文治は光っていた。読み書きはむろんのこと、唱歌もうまく、その上いつの間に覚えたのか、オルガンは教師たちより巧みであった。人がうたうと、楽譜はなくともその歌に合わせて弾くことが出来た。

濃い眉と通った鼻は整い過ぎていたが、笑うと、ぐっと親しみのある顔になった。去年の学芸会で、文治は「荒城の月」の独唱をした。澄んだその声が志津代の胸に沁みこむようであった。志津代は思わず涙をこぼした。それ以来、他の男子には感じないひとつの感情が志津代の胸に生まれた。もし志津代が「ほのかなあこがれ」という言葉を知っていたら、そう言ったかも知れぬ淡いが持続した感情であった。

今も志津代の視線は、つい文治に注がれ勝ちであった。千代紙を選ぶ者、飴玉を買う者、煎餅を求める者など様々で、小僧たちも活気づいて、子供たちを相手に冗談口を叩いた。文治が一番年嵩だった。少し短い浴衣の裾から、すんなりと伸びた足に少年らしさがあった。文治が何を買うかと志津代は興味があった。廊下に立っている自分に気づいてほしいと思う一方、気づかれたくないという思いもあった。が、誰も、半分板戸に体を隠してのぞいている志津代に気づく者はいない。

文治は鉛筆を二本買った。そして小僧の勘太に金を渡した。鉛筆は二本で五厘である。その鉛筆を手に持った時、文治はうれしそうにその匂いを嗅いだ。どんな金持の子でも、五本も鉛筆を持って学校に来る子はいない。たいていは一本だった。真新しい鉛筆が二本もあれば、みんなが羨ましそうな顔をする。今、文治のうれしそうな横顔を、志津代もうれしそうに見つめていた。

　子供たちは店の中をうろうろと眺めて歩いて、なかなか買うものが定まらない。子供たちはふだん、滅多に自分の買物をしない。親の使いで、酒やマッチや味噌などを買いに来る。が、今日は山の手で小さな祭りがあるのだ。祭りと言っても、小料理屋「あかね」の庭にあるお稲荷さんの祭りなのだ。親からもらった一銭か二銭の小遣いがうれしくて仕方がない。うっかり買物は出来ないのだ。もし買う物が決まっていても、文治のようにさっさと買ってしまっては、楽しみがなくなる。だから店の中をうろついてまわるのだ。弓張提灯があり、鉄鍋がある。鉄瓶があり、大ざる小ざるがある。炭俵がある。二分ランプ、五分ランプ、番傘、蛇の目傘、マッチ、団扇、などがある。あるものは棚に、あるものは天井から吊り下げられ、あるものは土間に置かれている。わけても駄菓子の入った猫瓶の前には幾度も行って見る。見るもの見るもの、ちょっとさわったり、突ついたり、手に取ったりして楽しんでみる。小僧たちはそんな子供たちの相手を三十分もしているうちに、いら立ってくる。が、順平は、

「いいことだよ」

　と、店の者たちに言い聞かせる。店の中に、子供でもとにかく客がいることはいい。その買物を楽しむことはいい。この店にいることが楽しいのはいい。店に何があるか、記憶して帰るのはいい。いいことずくめだと順平は言う。そして、

「たとえ買物をしない子供でも、楽しませてやりなさい。その日は客でなくてもいつかは客になる」

と言って、決して邪慳（じゃけん）にはしない。

「さ、みんな、帰ろう」

ひと通り買物をすませたのを見て、文治は連れの子供たちに声をかけた。年嵩らしい語調だ。

「うん」

真っ先にうなずいて、にこっと文治を見上げたのは、医者の娘の八重だった。が、他の子供たちは、

「もう少し……」

と、甘えるように言った。その時勘太が、

「文治、その鉛筆の銭、払ったか」

と、咎める顔になった。

「払ったよ、すぐにさ」

順平やふじ乃は、風呂屋のお内儀と何か話しこんでいて気づかない。

「払った？　誰に？」

「お前にさ」

「冗談じゃない。もらっちゃいないよ」

　勘太が前垂れのポケットに手を入れて言った。

「上げたったら」

「もらわんたら。な、もらわんよな」

　勘太は二人の小僧たちに言った。二人は首をかしげた。

「上げたと言ったら上げたよ」

　文治が濃い眉をきりりと上げて勘太を睨んだ。志津代は激しく動悸した。思わず志津代はその場に飛び出して行って、

「勘太！　もらったじゃないの？」

　と、食ってかかった。

「もらった？」

　勘太は自信のない顔をした。

「そうさ。文治さんが鉛筆二本買って、お金を勘太に上げたの、わたしちゃんと見ていたんだもん」

　志津代はきっぱりと言った。

「ふん、こんなどこの馬の骨かわからん者にひいきして……」

言いかけると文治の顔色がさっと変わった。何か言おうとして文治は口を開きかけたが、そのまま店を飛び出した。これが、志津代が文治と関わりを持った初めであった。学校の夏休みが始まって、三日目のことであった。

八月に入って幾日か経った頃、順平は故郷の佐渡に今年も帰って行った。墓参を兼ねての仕入れの旅であった。年に一度は、順平は律儀に問屋に顔を出す。呉服問屋、醤油、味噌、酒の醸造屋、それらにいちいち顔を出す。ふだん仕入れのほとんどは、能登半島からの月に二回の定期船でこと足りた。定期船は日本海岸の主な港にやって来て、苫幌村の沖にも碇泊した。船が来ると、順平が先に立ち、若い者を連れて艀で荷を受け取りに行く。それで仕入れは事すむのだが、順平は自分の目で、年に一度は東京や京阪に足を延ばして、世の商いの様を学ぶことを怠らなかった。順平は馬車にガタガタ揺られて、旅立って行った。その順平の馬車が遠ざかるのを見送りながら、ふじ乃はふだんより上機嫌で、一緒に見送っている志津代の細い体を、息がとまるほど、力一杯抱きしめた。

順平が旅立った翌日、呉服物の行商人増野録郎がやって来た。順平がその昔、呉服の行商をしていた頃の仲間であった。

眉毛島

着付師

着付師

一

増野録郎が苫幌にやって来たその日の午後――。

文治は兄の恭一や弟の哲三、そして近所の友だちと浜べで泳いでいた。北国の海は、つい先月の七月半ばまで冷たかった。やっとぬるくなったかと思うと、一カ月も経たぬうちに、盆踊りの太鼓と共に再び冷たくなってしまう。その短い期間を惜しむかのように、子供たちは暇を見ては浜に泳ぎにやって来る。ひとしきり泳いで海から上がった文治は、砂に腰をおろした。砂が焼けるように熱い。この辺りでは滅多にないことだ。夏の最中でも、海から上がると唇を紫にして、歯の根も合わぬほどにがたがたと震えることがある。そんな日は、年嵩の者が、浜辺に打ち寄せられた木片を集めて焚火(たきび)をする。だが今日は、その焚火の必要もない。苫幌としては絶好の海水浴日和なのだ。

文治は青い沖の彼方に目をやった。

(この海の向こうにロシヤがある)

文治は胸の中で呟いた。

「キャーッ」

少し離れた左手に泳いでいる女の子たちの中から悲鳴が上がった。いや、嬌声(きょうせい)なのだ。女の子たちはどうしてあんなに突拍子もない声を上げたり、笑いころげたり出来るのか、女きょうだいのない文治には不思議でならない。愛らしいとも思うが、時には騒々しいとも思う。はしたないとも思う。その女の子たちの中にカネナカの志津代がいることを、文治は先ほどから気づいていた。女の子たちも、ほとんどが素裸だ。だが志津代や医者の娘八重などは、花模様の腰巻を腰に巻きつけて泳いでいる。だから、少し離れていても、すぐにそれと目につくのだ。

文治は「あかね」の稲荷の祭りの日から、志津代が急に身近に思われてならなかった。鉛筆を二本買ったその代金を、まだ払っていないと小僧の勘太が咎めた時、志津代が飛び出して来て、必死になって弁明してくれた。ふだん余り言葉を交わしたことのない志津代だっただけに、それは文治にとって意外だった。文治にはよくはわからないが、自分の家と志津代の家との間には、何かこだわりのあるのを子供心にも感じていた。志津代は際立った器量よしだけに、只でさえ近寄り難い存在だった。その志津代が自分のために涙ぐまんばかりに弁明してくれたことは、うれしさを通り越して、大きな驚きであった。

文治は再び沖に目をやった。砂浜のあちこちに干されてある昆布の匂いがする。風に乗って、潮の匂いが身を包む。青い空に太陽の光が散乱し、その光を弾(はじ)く波も眩(まぶ)しい。

「海の向こうはロシヤってえ国だ」

死んだ父の長吉は、海を見るのが好きだった。時に子供たちを連れて海に来ると、海の向こうはロシヤだと言って聞かせたものだ。文治は、父のその時の声音を思い出す。父の声は高くはなかったが、底力のある声だった。

「ロシヤってえ国はな、でっかい国だぞ。日本の何十倍もある国だぞ」

そうも言って聞かせた。

「ロシヤ人は、日本人とはちがう顔をしている。目はでっかくて碧(あお)い。髪も茶色や黄色で縮れている。背は高くて、鴨居に頭がつくほどの人間ばかりだ」

そんなことも話して聞かせた。六つ七つの子でもわかるように、長吉は一語一語子供たちの胸に刻みつけるように語った。

「だがな、でっかい国に住む人間が偉いとは限らんぞ。でっかい家に住む人間が偉いとは限らんのと同じだ」

よくそうも言っていた。そんな時長吉は、必ず笑った。そして、

「ロシヤって国では、何も言えんそうだ。ロシヤの天子は恐ろしい奴で、自分の気に入らんことを言う奴は、すぐにシベリヤに流したり、殺してしまったりするそうだ」

このことは、夕食の時でも、夜寝る時でも、ふっと長吉の口から出ることがあった。流されるという言葉が、その頃文治にはまだよくわからなかった。だからシベリヤという所は大きな海で、そこにみんな投げこまれるのかと思った。

「日本の国も、似たようなものだがな。樺戸(かばと)監獄や空知(そらち)監獄があってな」

　長吉は暗い顔で、そんなことを言った。その長吉に、

「そんなこと、子供に言ったって……」

　と、キワが優しく言ったが、

「子供にはわからんことだから、尚のこと言って聞かせるのさ」

　と長吉は言った。そんなときの長吉の顔は、言いようもなく優しく、まなじりの皺(しわ)が笑っているように見えた。何しろ長吉の死んだのが文治の八歳の時だから、文治も多くを覚えてはいない。だが幾度も幾度も繰り返し聞いた言葉は、確かに子供心によく覚えていた。特に「でっかい家に住む人間が偉いとは限らん」と言った言葉が、妙に心に残っている。そして、海の向こうにロシヤという国があると幾度も聞いたお陰で、見たこともないロシヤの国が、いつしかありありと目に浮かぶようになった。そのロシヤの海辺にも子供たちが泳いでいる。そして、その目が海の色のように碧い。子供はみんな色白で愛らしい。だが、大人たちは、体がとてつもなく大きくて、時には絵で見た角力(すもう)取りのようにも思われるのだ。

何れにせよ、日本の何十倍もあるというそのロシヤが、この海の向こうにあるという実感だけは、十四歳の文治なりにあった。

「人間は目が碧くても、髪が縮れていても、その値には変りはないぞ」

長吉は、石油ランプをずらりと廊下に並べて、子供たちにホヤの掃除をさせながら、そんなことも言った。三分芯のランプでも、五分芯のランプでも、それなりの働きをすれば、同じ値なのだと言った時の言葉だった。兄の恭一と一緒に、文治もよく父に尋ねた。

「ロシヤにはお母さんたちもいるの、お婆さんたちもいるの?」

何となく、ロシヤには男ばかりがいるような気がしたのだ。

「馬もいる? 犬もいる?」

馬や犬も、やはり大きいのかと思った。

「お寺もある? 神社もある?」

苫幌では寺や神社が学校の次に大きい建物だ。そんな他愛もない質問に、長吉は半紙に筆で絵を描いて見せたり、一つ一つ丁寧に返事をしてくれたものだ。

そのロシヤと、日本は戦争を起こした。そして日本が勝った。

(どうして日本より大きい国が負けたんだろう?)

今、沖の彼方に目をやりながら、文治はそのことを考える。

一年前の明治三十八年九月五日、日露講和条約の調印が行われ、十月十六日批准公布された。そしてその日、平和克復の大詔が渙発された。この苫幌でも、学校の生徒たちや青年たちが提灯行列をして村中を練り歩いた。どんな理由で戦争が起きたかは、真実のところ国民のほとんどは知らなかった。まして子供の文治の知るところではなかった。樺太の南部を日本が占領したことは、高等科二年だった文治には理解出来たが、しかし戦争は、只勝ったというだけの印象しかなかった。それでも村から何人か戦争に行き、その中の二人は帰って来なかった。子供二人と妻を残して死んだ者、老いた母只一人を残して死んだ者の二人だった。

再び嬌声が上がった。文治は素早く志津代の姿を求めた。志津代と風呂屋の子が、水をかけ合いながら渚でふざけていた。沫がきらきらと光った。とその時、恭一が水から上がって来た。二つ年上の恭一は十六だが、高等科を卒業してからめきめきと逞しい体になった。まなざしにどこか父長吉の面影があって、文治は恭一が好きだった。恭一も、声を上げて騒いでいる女の子のほうを眺めたが、にやりと笑って、

「志津代もだいぶおがったじゃないか」

と、大人っぽく言って文治の傍に腰をおろした。文治は聞こえぬふりをした。志津代と聞いただけで、胸苦しくなるのだ。

「志津代は十一だったな」

　文治には構わず恭一が言った。

「うん」

「十一か。あと五年したら十六だ。十六と言やあ年頃だあ。どんな婿を取るんだべ」

　文治は一段と胸が動悸して言葉が出ない。

「な、文治。カネナカのおやじは、苫幌の者を婿には選ばんだろな。きっと佐渡から連れて来るにちがいない」

「そんなこと……」

　どうだっていいと言おうとして、文治はやはり何も言えなかった。

「俺が長男でなけりゃあ……畜生、どこのどいつだ、志津代の婿になる奴は」

　言ったかと思うと、恭一はむっくりと立ち上がった。尻に砂がべったりついていた。恭一は大股に女の子の群に近づいて行った。歩き方も、そのうしろ姿も、文治にはすっかり大人に見えた。その文治の目に、志津代に近づくや否や、いきなりそのかぼそい体を、うしろからむんずと抱きしめる恭一が見えた。女の子たちが声を上げて笑い二人をとりかこんだ。恭一は志津代を抱き上げると、海の中へぐんぐん入って行った。女の子たちもその恭一のあとについて海に入った。志津代が身をよじるようにして、恭一から逃れようとした。

恭一はたじろがなかった。文治はうつ向いて砂の上に「シ」と書いた。そしてその上に砂をかけた。次に「ヅ」を書き、またすぐに砂をかけた。最後に「ヨ」の字を書き、その字にも砂をかけようとしてやめた。そしてそのまま沖に目をやった。文治は何か淋しかった。

二

風が茶の間を吹きぬけた。夕空にうす紙を置いたような白い月が浮かんでいた。風鈴が軒先で鳴っている。その軒先に鰈のひらきが十余り吊るされていた。

縁側の戸を開け放したまま夕食が始まっていた。恭一が味噌汁をひとすすりすすってから、誰にともなく言った。

「俺、この山形屋を継いで一生終わるのか」

キワはその顔を静かに恭一に向けた。一重瞼の目が二、三度まばたきをした。聡明なまなざしだった。今、長男の恭一が何を言おうとしているのか、その心を見きわめようとする目であった。こんなキワを死んだ長吉は愛していた。

「恭一、この山形屋はね、お前が継がなきゃならんわけではないんだよ」

四角い卓袱台の上には、若布の味噌汁、干鰈と茄子の煮付、大根おろしが並んでいる。今日は客が一人だけで、その客も今夜はカネナカで夕食を食べて来ると言って出かけた。呉服物行商の増野録郎で、キワも顔馴染みの客であった。上方商人の録郎は如才がなくて、背負って来た反物は必ず空にして帰る商才があった。が、キワはこの録郎に心を許してはいなかった。それは、録郎が初めてこの宿に泊った時のことだった。身なりや顔立ちは感じがよかったが、夕食の膳を運んで行ったキワの手を、不意にぐいと握ったのだった。

「まあ！　何をなさる……」

　思わず気色ばむキワの顔に、

「冗談や、冗談や」

　と笑ったが、夫のいないキワには大きな侮辱を感ずる一件であった。それでも録郎は次の年も苫幌にやって来て山形屋に泊った。カネナカの順平と昔の仲間だということで、網元をはじめ、医師、産婆、寺、神社の妻たちが常客となった。それが、去年一昨年と廻って来なかった。戦争に行っているという噂が流れた。カネナカには、奉天（ほうてん）から便りをよこしたという噂も聞いた。

　その増野録郎が、滅多にないことにひょっこりとお盆の前に現れた。録郎が廻って来るのはたいてい桜の咲く頃で、

「わてはなあ、おかげさんで、関西、関東、奥州（おうしゅう）、蝦夷（えぞ）と、幾度も花見をさせてもらいますわ」

　と、来る度に言っていたから、花見時であることをキワも忘れてはいない。それが今年だけは珍しく、盆を前にやって来た。何れにしても、一人でも客があることはキワとしてはありがたかった。

「母さん、それはほんとかい。俺が山形屋を継がなくても、ほんとにかまわないのかい」

恭一は椀を手に持ったまま言った。

「そりゃあね、母さんだって、おじいさんやおばあさんから受け継いだ山形屋だからね。誰かがやってくれるとありがたいけど。でもねえ、父さんはいつも母さんに言っていたよ」

キワは長吉を懐かしむ顔になった。

「父さんが？　何てさ？」

「子供たちが進みたいほうに進ませてやれって。真剣にやる気のある道があれば、たとえ一文にならぬ仕事でもかまわないって」

「へえー、一文にもならない仕事でもいいのかい？」

文治が驚いたようにキワを見た。

「お前たちの父さんはね、ほかの人とちがっていたからね。人間、金儲けぐらいが目的で生きちゃいけないって、よくそう言っていたよ」

「ふーん」

恭一も文治も、哲三までもが、不審な顔をした。恭一が言った。

「だって、みんな金儲けのために働いてるんだろ」

「母さんにはよく説明出来ないけどね。人間には、金儲けより、もっともっと大事なことがあるんだって」

「ふーん。……金儲けよりもっと大事なことって、何だろな」

　文治より三歳年下の哲三が、空になった茶碗をキワに差し出しながら言った。

「陸軍大将かな」

「役人になることかな」

「それとも学者かな」

　三人はがやがやと思いつくままに言った。キワは子供たちの話を聞きながら箸を使っていたが、

「さあねえ、お前たちの父さんは変わっていたからねえ……いや、偉い人だったんだねえ。父さんが生きていたら、陸軍大将になんかなってほしいとは、言わなかったろうねえ」

「したらお役人は」

「それがね、父さんはお役人が一番嫌いでね」

　キワは何か言おうとして口を動かしかけた。紅もつけないのに、赤いきれいな唇だった。結婚したばかりの頃、長吉はまだ幼妻のキワを抱きながら、床の中で恐るべき話をして聞かせた。長吉は死ぬまでの十一年間、キワには優しい夫だった。ろくに字も知らぬキワに、

「宿屋のお内儀が宿帳も読めんようでは……」

と字を教え、毎夜床の中で、キワの知らぬ珍しい話を聞かせてくれた。中でも、今キワの胸をよぎった話は、生涯忘れ得ぬ憤ろしい話であった。

「キワ、黒田清隆という男を知ってるか」

キワは長吉の胸の中で、首を横にふった。会ったことも、聞いたこともない男だった。いや、聞いたかも知れないが、それが誰であるかを、数えて十七のキワは知らなかった。

「そうか、知らんか。だがな、この男の名はしっかりと覚えておくんだよ。この黒田清隆は北海道開拓長官をやった男だ。長官と言っても、ほとんど東京にいたわけだが」

キワがその夜、長吉から聞いた話はこうであった。

黒田清隆は、明治十一年の三月のある日、酩酊して帰宅した。黒田清隆は日頃酒乱の悪癖があった。妻のせいは、十三歳の時に、二十七歳の黒田と結婚し、その時二十三歳になっていた。黒田は少女を好む傾向があって、妻以外の女に手をつける時も、十三、四歳の少女が多かった。

せいは病弱だった。その夜も黒田の帰りを待って横になっていたのであろう。玄関に出迎えるのが少し遅れたらしい。たったそれだけのことで黒田は激昂し、いきなり妻を斬殺した。その場には時の大警視川路利良が居合わせたが、川路は早々と場を外した。妻の実家は、この黒田の所業に憤ったが、政府の高官である黒田に威圧されて泣寝入りした。しかしこの事件は洩れ、「団々珍聞」紙が風刺画を添えて大きく報道した。世評が騒がしくなり、黒田は辞表を提出した。伊藤博文、大隈重信の二人が黒田の処罰を、内閣卿大久保利通に求めた。大久保は、

「黒田はそんな無慈悲な人間ではない。ここは自分に委せて欲しい」

と言い、大警視川路利良に、既に土葬したせいの検視を命じた。川路は黒田の腹心の部下でもあった。川路は自分の部下数名と医師を引き連れて墓を掘り、棺の蓋をそっとあけ、中をのぞき、

「他殺の形跡などないではないか」

と言った。参ずる者、皆黙然として語らなかった。こうして黒田は大久保に助けられ、辞表は撤回された。が、その数日後紀尾井坂において、大久保は五名の志士に襲われて斬殺された。その斬奸状に五箇条あり、暗殺理由の一つとして、

「法律ヲ私スル——黒田清隆酩酊ノ余リ、暴怒ニ乗ジ其妻ヲ殺ス。タマタマ川路利良其座ニ在リト。シカシテ政府コレヲ不問ニ置キ、利良マタ知ラズト為シテ止ム。アア、人ヲ殴殺スルハ罪大刑ニ当ル」とあった。

黒田清隆の妻殺しが紀尾井坂の変を惹き起したと言ってよかった。尚黒田は、これより二年前、東京から小樽に向けて船にあったが、小樽の近くで突如何の時由もなく大砲を海

岸に向かって撃った。何か気分がむしゃくしゃしていたという。弾丸は村の娘に当たり、娘は死んだ。村人たちが激怒し、不穏な情勢になると見るや、埋葬金九十円を娘の父親に渡して納得させ、

「……御主意ノ段感ジ奉(たてまつ)リ候」

という受取りを書かせて口を封じた。この時も政府は黒田を罰してはいない。維新後十年、箱館(はこだて)戦争、神風連の乱、西南戦争などの相つぐ血腥(ちなまぐさ)い世情であったとは言え、黒田清隆は実に罪のない女の命を二度までも奪ったのである。しかも、大砲を撃ったその船には、黒田の客が同乗していた。それは何と、乞われて札幌農学校に赴くクラーク博士であった。その後黒田は二代目総理大臣となった。

この話を長吉から聞いたキワは、体の震えるほどに恐れ戦(おのの)いた。長吉はその背をさすり、

「わしは黒田ではないぞ」

と笑い、

「いいか、キワ、役人を偉いとか、位のある者を偉いとか、金のある者を偉いと思ってはならん。権力のある者ほど、人間を虫けらのように思いやすいものだ」

と言って聞かせた。長吉は妻のキワに、こうして死ぬまでの間、数々の話を語って聞かせたのだった。だからキワは、長吉が死の直前、自分の本名が長吉ではないと告白した時

にも、欺されていたとか、裏切られていたという思いは持てなかった。長吉には、よほど深い訳があって、心ならずもその本名を明かせなかったにちがいないと、気立てのよいキワは、むしろ長吉の苦衷を思いやらずにはいられなかった。そして心ひそかに、三人の子供の中、誰でもよい、出来得るなら長吉の郷里を探り当てて欲しいと願っていた。旅人宿山形屋が自分の代で終わっても、キワには嘆く思いはなかった。

「そうか。とにかく俺は長男でも、山形屋を継がんでもよいというわけか」

恭一は安心したような、半ば拍子抜けしたような顔で、茄子の煮付を口に運んだ。文治は、自分は一体、何になったらいいのだろうと、初めて自分に問う思いであった。

三

一方、カネナカの茶の間においても夕食が始まっていた。増野録郎とふじ乃、志津代の三人が猫足の膳についていていた。給仕のサイは、赤いたすきをかけたまま、台所と茶の間を先ほどから忙しく行ったり来たりしていた。少し大事な客のある時は、十八歳のミネよりも、三十過ぎたサイをふじ乃は頼りにした。

「でも、本当にご無事で何よりでした」

ふじ乃はもう幾度も言ったことをまた繰り返し、

「あら、また同じことを言っている」

と笑った。その笑い声を、志津代は少し高過ぎると思った。

「こんなに喜んでもろうて……」

と、増野は自分の盃をふじ乃に渡し、九谷焼の派手な徳利を、その盃に傾けた。ふじ乃と録郎の視線が絡み合った。志津代は、今受けた盃を口に当てているふじ乃をじっと見つめた。サイも志津代の傍に坐って、さりげなく録郎とふじ乃のやりとりを見ていた。ふじ乃は頓着(とんじゃく)なしに、赤い目元に微笑を湛(たた)えて、

「そりゃあね、増野さん。あんたが戦争に行ったと聞いた時、お百度踏みたいほど、心配しましたからね」

事実、妻や母たちは、戦地に行った自分の息子や夫のために、お百度詣りをしていた。浅間(せんげん)神社には、夜半の十二時ともなると裸足詣りの女たちが二、三十人必死になって勝利を祈っていると、新聞に出たこともあった。録郎は、

「え？　お百度詣り？……あの、ひと足踏みて夫思い、ふた足国を思えども、三足再び夫(つま)思う、女心に咎ありや……のお百度詣りをな」

と、すらすらと大塚楠緒子(なおこ)の有名な歌を口ずさみ、

「お内儀さんにお百度詣りなど……いや、もったいない、もったいない」

と、大きく手を振った。ふじ乃は大塚楠緒子の歌は知らなかったが、その録郎の大仰な恐縮の様子に再び声を上げて楽しそうに笑った。

「もう一本」

ふじ乃が軽く銚子をふってサイに言った。サイはちょっと黙ってふじ乃を見、録郎を見たが、

「ハイハイ」

と返事をして、大儀そうに立ち上がった。一昨年嵐で夫を海に失った時に、親身になっ

て面倒を見、この家に勤めさせてくれたのはふじ乃だった。それだけに、サイはふじ乃のためには骨身を惜しまず働く忠義者であった。ふじ乃の言うことに、かつていやな顔を見せたことはない。そのサイが大儀そうに立ち上がった。志津代は箸と茶碗を持ったまま、サイのうしろ姿を見送った。

志津代は米粒を拾うように、一粒二粒と口に運んでいた。父の順平は、客のある時は、子供ではあっても志津代を客席で相伴(しょうばん)させた。ふじ乃は、子供が酒の席に出ることに反対したが、

「飲んだからと言って、子供の前で出来ぬ話はせぬがよい」

と、日頃の温厚な順平に似合わず、なぜかこのことについては自説を曲げなかった。その順平の気持がわかったのは、志津代が大人になってからのことであった。もともと志津代は大人の中にいた。朝昼晩の三度の食事の時も、志津代以外は皆大人であった。小僧たちも志津代から見れば大人であった。だから、酒を飲む客と食事をすることも、それほど抵抗がなかった。只、順平がふだんは酒をたしなまないため、酒席での食事の時間が長いのには何としても苦痛を感じた。そんな志津代に順平は、

「お客さんがな、銚子を二本あけるまでは、飯を食べ終わってはならん」

と言って聞かせた。ふだんは十五分もあれば食べ終わる。銚子を二本あける間と言っても、

客によってはその長さはまちまちだった。それが志津代を閉口させた。それさえなければ、酔った客の賑やかな声を聞くのは子供心にも楽しかった。時には手拍子で歌う者もいる。だが今日の増野録郎は志津代には何かいやな客だった。

「ほんま可愛いこいさんやな。目もと口もと、お内儀さんそっくりのトテシャンや」

と、膳の向こうから手を伸ばして頭を撫でてもくれるのだが、志津代には録郎のどこかがいやだった。いかにも町の者らしく、着物の着方もしゃきっとしている。愛想もよい。子供の自分を無視するわけでもない。いや、むしろ機嫌を取るように、

「な、こいさん、そうやろ」

と、話の合間合間に声をかけてもくれる。それなのに志津代は録郎の何かが嫌いだった。何が嫌いなのか、志津代にもわからない。石油ランプの光がいつもより暗いような気がする。そんな心持ちなのだ。志津代はこの場から立ち去りたい気がした。が、何となく母の傍にいたほうがよいような気もする。サイが、燗をした酒を運んで来た。サイも楽しそうな顔はしていない。

「おサイ、疲れたのかい」

ふじ乃が左手を添えて録郎の盃に銚子を傾ける。

「いいえ、別に」

サイは抑揚のない語調で返事をした。

「何ですな、田舎はよろしゅおますな」

差された盃を口もとでとめ、録郎はにやりとした。

「何がいいもんですか。わたしは町暮しのほうが、なんぼかいいと思いますけどね」

胡瓜の酢もみに箸をつけながら、

「ねえ、おサイ」

と、ふじ乃はサイをかえり見た。サイはいつもの顔に戻っていて、

「ええ、わたしも町が好きです。田舎は不便とです」

と、国訛り（くになま）が出た。

「しかしな、お内儀さん。町場じゃこの辺のように、夜鍵をかけずに寝るなんて、夢にも考えられませんわ」

「なるほど、その点この辺りはのんびりしていますよ。泥棒に入られたなんて、苫幌では聞いたことがないですからね」

「第一、盗まれるものはなかとです」

「そんなことはありませんやろ」

録郎はサイを見てにやりとし、

「この辺にだって夜這いはありますやろ」

　と視線をふじ乃に移した。

「それは……どうかねえ」

　ふじ乃は艶っぽく笑い、サイは聞こえぬふりをした。

「それはそうと、このカネナカさんも鍵はかけずに寝まれますか」

　録郎は真顔になった。

「店はまあ別ですけど。でも、鍵などかけなくても、泥棒なんぞ来やしませんよ。小僧が三人二階に寝てますし、おサイも住みこんでますし……」

　話を聞きながら、志津代は「夜這い」という言葉が気になった。全く初めて聞く言葉ではない。が、何のことか心にとめたことはなかった。しかし今の話を聞いていると、泥棒に似た者らしい。と言って、泥棒ともちがうらしい。サイのうつむいた様子や、母の笑顔の中に自分の知らない何かを感じた。

「おっかさん」

「なあに？」

　やや酔いを含んだ目をふじ乃は志津代に向けた。

「よばいってなあに？」

一瞬ふじ乃の顔に狼狽の色がよぎった。録郎が言った。

「夜這いってな、こいさん、ま、蜘蛛みたいなもんやな」

「くも？」

「いや、蜘蛛じゃあらへん。蜘蛛みたいなもんや。夜になると這い出すんで、夜這いちゅうんや」

「ふーん」

志津代はふじ乃の顔を見、サイの顔を見た。サイは素知らぬ顔をして、あいた皿を膳の上から下げている。ふじ乃は袂（たもと）から紙を出して額の汗をそっとおさえた。何となく志津代は、大人たちが自分を欺（だま）しているような気がした。

「それ、虫なの？」

「虫？　なるほど、虫ですなあ。どうしようもあらへん虫ですわ。ま、大人になったらわかるがな」

録郎は馬鹿でかい声で笑った。

「もう寝てもいいよ、志津代」

ふじ乃はひどく優しい声を出した。が、ここにいてはならないと言っているように志津代には思われた。酒の席では時々こういうことがある。大人だけがわかって、笑っていることがある。だが今日はそれが特別のような気がした。

床に入った志津代は、まだ「夜這い」という言葉にこだわっていた。尋ねてはならないことを尋ねたという後味の悪さがあった。床の中では志津代は、時々聞こえてくる録郎とふじ乃の、声高な笑い声を聞くともなく聞いていたが、いつのまにか眠ってしまった。

どのくらい眠ったことだろう。志津代はふと目を覚ました。志津代は物心ついた頃から、父母の寝室の隣に一人寝かされてきた。一人寝ることにはとうに馴れている。だが父の順平のいないことを思うと、何となく淋しい。志津代は夜中に滅多に厠(かわや)に立つことはない。それが今夜は珍しく厠に行きたくなったのだ。襖(ふすま)を開けるとすぐに長い土間がある。土間の天井に、芯を細めた仄暗(ほのぐら)いランプが、ぼんやりと辺りを照らしていた。うす暗がりの中で草履(ぞうり)を突っかけ、土間の端の厠に行った。

用を足し終わった時、外に何か音を聞いたような気がした。猫かと思った。爪先立って、志津代は厠の窓から外を見た。月が出ているらしく、外はほのかに明るい。と、志津代ははっと息をのんだ。土蔵のほうへ去って行く男の影を見たのだ。

(泥棒!?)

今時わが家の庭を通る者はない。次の瞬間、志津代は大声を上げて厠を飛び出していた。

「泥棒!」

志津代の声がひびき渡った。

四

「大変だったねえ、カネナカのお内儀さん、今聞いたばかりだけど」

部屋に入って来たふじ乃を見て、誰よりも先に声をかけたのは風呂屋のお内儀である。

むしむしと暑い昼下りである。ここ山形屋の客間では、間仕切りの襖を取り外して、今、増野録郎の反物展示即売会が開かれようとしていた。神主、住職の妻、網元、料理屋、馬具屋のお内儀等々、常連が二十名近く集まっていた。

「大変？　何がだね？」

ふじ乃はすらりとした浴衣姿のまま、一同を見おろすようにして答え、つつましく両手をつくキワに、

「キワさん、お邪魔しますね」

と声をかけ、

「皆さん、おそくなりました」

と言って坐った。

「昨夜、泥棒が入ったと言うじゃないかね」

と、料理屋のお内儀がひと膝乗り出した。ふじ乃は連れて来た志津代をちょっと顧みて、

「ああ、何かい、この子が夜中に厠に起きて……泥棒って騒いだ一件かい？　泥棒でも何でもありやしないよ。この子が寝呆けていただけさ。ね、志津代」

と涼しく笑った。昨夜の騒ぎは、もう人々に知れわたっていた。多分小僧の誰かが、口をすべらせたにちがいない。それが口から口へと伝えられたのだと、ふじ乃は思った。

「なんだ、志津代ちゃんが寝呆けたのかい。この苫幌に、泥棒がいる筈はないと思ったがね。でも、蔵の錠前が壊されたって聞いたもんだから」

風呂屋のお内儀が日本手拭いでそっと汗をおさえた。

「へえー、錠前が？　それは初耳」

ふじ乃は軽く受け流し、

「もしかして、泥棒が二人組だなんて言い立てているんじゃないかね」

と、にっこりした。

「そうですよ。一人じゃなかったって聞きましたよ、わたしは」

住職の妻がうなずく。

「ま、何とでも言うがいいさ。話は大きいほどおもしろいからねえ」

ふじ乃は高飛車に言い、増野録郎をちらりと見た。

「ほんまほんま。何によらず話は大きいほうがおもろうおますな。ついでに一家猿ぐつわでもはめられたとなれば、尚のことおもろうおます。ま、寝呆け話でよろしゅうございましたな」

録郎は鉈豆(なたまめ)ギセルを煙草盆に打ちつけた。録郎の言葉で、何となく昨夜の泥棒騒ぎが、ふじ乃の言ったとおり、志津代の寝呆け話と決められたような空気になった。風呂屋のお内儀も心得て、

「ま、よかったよかった。旦那が留守中のこと、もしやと心配したがねえ」

泥棒の話は終わった。が、医師の妻がお愛想のつもりで志津代に尋ねた。

「志津代ちゃん。その泥棒、何か背中にしょっていたのかい」

志津代は首を横にふった。男のうしろ姿は着流しだった。

「そうかいそうかい。何も持っていなければ、泥棒じゃないやね」

「もしかしたらそれ、夜這いかも知らんね」

「夜這い？　誰のところにさ？　サイさんのところにかい」

住みこみの女はサイだけで、十八のミネは通いである。みんなが笑った。サイは夫を失った三十女だが、骨組みががっしりとしていて、男を寄せつける風情はない。志津代は夜這いという言葉をここでも聞いた。録郎はあぐらをかいたまま、煙管をくわえて女たちの話

を聞いている。その姿がどこか遊び人めいていた。録郎は、商人らしく膝を揃えることなど余りしない。如才がなく愛想はよいが、もみ手をして頭をぺこぺこ下げるということもない。あぐらのまま煙管をくわえている姿に、不思議に誰も反発を感じていないようだ。むしろ、その姿には、舞台の上の役者のような魅力があった。

「さて、寝呆け騒ぎはそれまでにして、カネナカのお内儀さんで全員お揃いですな」

と、改まった声で録郎は一同を見渡し、

「今日は皆さん、お盆前のご多忙の中を、かよう、にぎにぎしゅうお出で下さりまして、まことにありがとうございます」

と、さすが神妙に膝を揃え、両手をついた。録郎の商売の仕方は、行商とはいえ、一軒一軒商って歩くのではなく、一つ場所に客を集めて会を開く。そしてその年の流行だの、あちこちで見聞きしたおもしろい話だのを取り入れて、十四、五分話を聞かせたあと、反物を展示して見せる。背に負える品だけでは数が知れている。録郎は背に負うほかに、前もって行く先に品を送り届ける方法を取った。そして一堂に集めて反物を見せると、不思議なほどに品物はよく捌けた。録郎の案内を受けることは、女たちにとって光栄なことだった。女たちが特別に名指しで招かれることなど、小さな漁村には、決してあることではない。招かれた以上、他の者よりよい品をより多く買いたい。それで年々心掛けて金を貯めていた。

しかも録郎の話は耳新しいことばかりだったから、話を聞いているうちに、一層女たちは購買欲をそそられるのだ。

「兵隊養子と言ってな、徴兵が敷かれてから、全国にどれほど養子になった者がいるか、わからんのや。何しろ家の跡継ぎは兵隊に取られんいうことやからな。三十、四十の男が、七つ八つの女の子と養子縁組をした話が、ほうぼうにありましてな。ほんまでっせ。うそやあらへん。ま、わしのように婿にも行かんと、真っ正直に戦争に行った者が……」

女たちを笑わせながら、増野録郎は今、日露戦争の軍談を始めた。そんな話には耳を傾けず、

（寝呆けてなんか、いなかった）

志津代はふじ乃の陰で下唇を噛んでいた。昨夜確かに、厠の窓から男のうしろ姿を志津代は見た。厠から飛び出して、

「泥棒っ！」

と、志津代は体を二つに折って叫んだ。真っ先に飛んで来たのはしっかり者のサイだった。サイも一緒に「泥棒！」と叫び、

「お内儀さん！　お内儀さん！」

と、ふじ乃の寝室の襖を叩き、二階の小僧たちを、階段の下から大声で呼んだ。

　ふじ乃が起きて来たのは、小僧たちが起きて来たあとだった。ふじ乃は寝巻姿で、ゆっくりと志津代に近づき、その肩を抱いて、

「馬鹿だねえ、泥棒なんかこの辺にいるものか」

　と笑った。

「ううん、ほんと！　蔵のほうに歩いて行ったんだから！」

「そう、泥棒は蔵のほうだとさ。誰か提灯をつけて、見て来てごらん」

　小僧たちが三人、弓張提灯に灯を入れて蔵のほうに走った。月夜で提灯をつけるまでもない明るい夜だった。間もなく小僧たちが帰って来て、錠前にも異常がないと言い、人影もないと言った。

「寝呆けたんだよ。志津代は」

　ふじ乃があでやかに笑うと、サイが何か言いかけてやめた。ふじ乃は志津代の部屋に、志津代の背を押すようにして入り、寝床に入れた。

「大丈夫だよ。おっかさんが傍（そば）にいるからね、安心して寝るんだよ。泥棒なんぞこの辺にいるわけないからね」

　ふじ乃は優しかった。

（寝呆けたんじゃない！）

志津代は床の中で繰り返し思った。確かにこの目であの黒いうしろ姿を見たのだ。泥棒にちがいないと思う。泥棒でなければ、どうして人の家の庭を歩いているものか。その思いは、今もつづいている。

五

庭先の縁台で、長男の恭一と次男の文治が将棋を指していた。客間からの話は庭先に筒抜けだ。

「カネナカに泥棒が入ったってか」

恭一が飛車先に歩を打ちながら、呟くように言う。

「うん」

文治は気の乗らない声を出す。しばらくして、また恭一が言う。

「志津代が寝呆けてたってか」

文治は返事をしない。外にいても、家の中にいても、むし暑い日だ。苫幌には珍しく風もない。父親が植えたというこの大きなアララギの傍が、文治は好きだ。この木の傍にいると、何となく心が安まるのだ。淋しい時は、文治はこの木の傍の縁台にころがって空を見る。恭一も同じ思いらしく、よくこの縁台で本を読んでいたりする。母のキワを助けて、恭一は宿の仕事を手伝っているが、今日のように泊り客一人の時は、せいぜい風呂の掃除や、焚きつけぐらいが恭一の仕事である。

「だけどなあ、ほんとに志津代が……寝呆けたと思うか」

　恭一はずっと泥棒のことを考えているようだった。

「さあ？……」

　文治は相変らず気の乗らぬ返事をする。志津代という名前を聞いただけで、胸のあたりがもわもわとする。こんな気持になったのは、カネナカに鉛筆を買いに行って、小僧に代金を払っていないと言われた時、いきなり飛び出して来た志津代が、自分の払ったのを見たことを証言してくれたあの日からだ。あれから半月と経っていない。その上、文治にはうっかり返事の出来ぬことがあるのだ。

「そうか……お前も……」

　と恭一は、文治の飛車を取って、

「思うか」

　と、にやりとした。

「うん」

「なんだ、生返事ばかりして」

「うん」

「お前、今日は何だか変だぞ」

「………」

　軒の風鈴が短く鳴った。

「おれはな」

　将棋盤の上に乗り出すようにして、恭一は声を低めた。

「……志津代は寝呆けたんではないと思うぞ」

「………」

「夜這いだと思うぞ」

「夜這い？」

「うん。知ってるだろ、夜這いって」

「………」

　黙ったまま、文治はかすかにうなずいた。

「かも知れないぞ」

　本当は文治も昨夜の足音を、さっきから思い出しているのだ。昨夜、というより、真夜中の二時半頃であったろうか。玄関の戸が静かにあくのを、玄関脇の部屋に寝ていた文治は偶然聞いたのだ。父の長吉が自分の金で直したという山形屋の玄関は、広くて堂々としていた。戸の建てつけがよく、いつも車戸がからからと気持のよい響きを立てた。今頃客が来たのかと耳を澄ませた。その足音は、一階の奥の増野録郎の部屋のほうに消えた。その時文治は、録郎が外に出て小用を足したのかと思った。客の中には時折、小用を外で足す者がいる。だが、今考えると不審な点があった。小用ならば、戸はあけ放したまま外へ出るから、家に入る時あける音はしない筈だ。昨夜確かに、しのびやかに戸をあける音と、閉める音を聞いた。録郎は九時頃にはカネナカから帰って来た筈だ。が、もしかして、その後また出かけたのかも知れない。

(何をしに?)

まさか、金を盗みに行ったとは思えない。時折聞く夜這いにならば、何も浜のカネナカまで下りて行かずとも、この山の手の市街地で事は足りると思う。この界隈には娘のいる家がいくらもある。それはともかく、時間から言って、録郎がその頃カネナカの庭先をうろついたとしても、不思議はなかった。だがこのことを、文治は恭一に言おうとは思わない。そんなことは言ってはならぬことに思われた。

二人が将棋を二番指した頃、座敷ではもう女たちが買物を終えて再び雑談していた。網元のお内儀が言った。

「わたし、毎年買わしてもらうんだけどね。こんな丸太ん棒みたいな体じゃ、何を着ても、見栄えがしないと思ってね。なんだか買って損をしたような気もするんだよ」

風呂屋のお内儀がうなずいて、

「おや、わたしもおんなじだよ。こんな肥った体に、何を着たって、どうしようもないと思ってね。カネナカのお内儀さんのように、すらりとしてたら別だけどねえ」

と、大まじめな顔になった。録郎が手を大きく横にふって、

「そりゃちがいますねん、お内儀さん。日本の着物いうものは、どんな人の体にもぴったりするように出来ていますわ」

「ほんとかね、増野さん」

「ほんまや、ほんまや。わてらこのとおり、日本国中、どこでもお邪魔させてもろうていますやろ。風呂屋のお内儀さんより肥った人にも仰山会いまっせ。背の低い人にも会いまっせ。京都のさる有名な祇園（ぎおん）の女将など、歩く度に股がすれて、痛うて痛うてと、まるで俵のようにころころしてますけどな、よう着物は似合いまっせ」

「へえー、またどうやって俵みたいな人が……」

「着付けですがな、着付け。言っちゃ何やけど、蝦夷（えぞ）のおなごはんたちは、着付けが下手ですやろ。カネナカのお内儀さんのように着付けて見なはれ。そりゃあかっこようなりまっせ」

「それは無理だね。姿がちがう」

「無理やあらへん。姿から言うたら網元のお内儀さんにしろ、お医者さんの奥さんにしろ、

カネナカさんと似た者でっせ」

「言われてみれば、なるほどね」

「この苫幌で、見られる着付けと言えば、ま、はっきり言うて、カネナカさんとここの山形屋さんぐらいですやろな」

片隅にひっそりと茶をいれかえていたキワに、録郎は無遠慮な目を向けた。男っぽい精力的な目であった。

女たちはうなずいてふじ乃を見、キワを見た。ふじ乃はやや衣紋(えもん)をぬいた玄人ふうな着付けだが、キワは襟を詰めて、胸もとをきっちりとおさえた清楚な着付けである。

「牡丹と野菊や」

扇子を使いながら録郎が言った。どちらが牡丹でどちらが野菊と言わなくても、あでやかなふじ乃と、楚々としたキワは、誰の目にも対照的であった。

「じゃね増野さん。その着付けとやらを教えて欲しいもんだね、ねえ、みんな」

料理屋のお内儀の言葉に女たちがうなずいて、「ほんと」「ほんと」と口々に言う。録郎はにやりと笑って、

「ああ、よろしゅうおますとも。わてはこれでも箱屋をしたことがありますよってな」

「箱屋？　箱屋ってなんだね？」

「箱屋でっか」

　録郎はちょっと肩先で笑って、

「そう言えば、この辺には箱屋はおりませんやろな。箱屋はな、芸妓はんたちの言わば着付師でしてな」

「芸妓はんの着付師？」

「そうや、芸妓はんの帯は、叩けばパンと音のする厚いものですやろ。とてもおなご衆の力では結ばれしませんでな。それで、男の箱屋が着付けをする。何時間お座敷を勤めようと、箱屋の着付けは狂うことはあらしませんでな」

「ふーん、男が着付けをねえ」

　医師の妻が驚いて言う。

「これはな、一つの技術でっせ。着せられる芸妓はんたちも根性の要ることでしてな。帯をぎゅっと締められて足がふらつくようでは、一人前の芸者とは言われしまへん」

「じゃ、増野さんは、その着付けが出来ると言うわけかね」

　疑わしそうに料理屋のお内儀が言った。

「着付けて見せて欲しいと言わはるなら、いたしますで。さ、どなたからでもかめしまへん」

　録郎は一同を見、

「但し着付けは下着が肝腎、湯文字一枚から始めんといかんが……」

「湯文字一枚？」

女たちはざわめいた。と、風呂屋のお内儀が言った。

「裸が恥ずかしくて、風呂屋が勤まるかい。あたしが着付けてもらいましょ」

言うが早いか、立ち上がったお内儀は帯を解き始めた。みんなは笑った。見る間に浅黄色の湯文字一枚になってお内儀は突っ立った。あたりを圧するような肥り肉だ。猪首からつづく肩の盛り上がりが見事だ。だが太い二の腕が意外に引きしまっていて、浅黒い肌ながら色気があった。

「なんなら、これも取ってもいいけどさ」

五十に手の届く風呂屋のお内儀は、屈託なく言い、湯文字のひもに手をやった。再びみんなが声を上げて笑った。お内儀も豊かな胸をふるわせて笑った。

「毎度あんたらの裸を見せてもらっているからね。たまにはわたし一人が裸になってもいいわけさ」

みんなの笑う中で、ふじ乃は静かにうちわを使いながら、録郎に目を注いでいた。録郎が箱屋をしていたというのは嘘ではない。若い頃、芸者の三味線をかついで供をして歩いた。その間、兄弟子に着付けも学んだ。そんな中で、女たちの着物に対する執着の強さを見、録郎もまた着物の美しさに魅せられて、いつしか反物を扱う仕事に変わっていった。録郎は鮮やかな手つきで、お内儀の肌襦袢(はだじゅばん)の前を合わせ、浴衣の腰ひもをきりりとしめて、

「腰ひもは、皆さん細腰にしなさるが、この一番太い腰骨あたりでしめなさるがええ。な、カネナカのお内儀さん、あんた腰骨のあたりに結んでいますのやろ」

録郎は笑わぬふじ乃に声をかけた。ふじ乃はうなずいた。

「次の二本目、これは余りきつく結んではあきまへん」

と言ってから、

「あれ、伊達巻は?」

「伊達巻? そんなものはしてませんよ」

「してませんじゃ困りますな」

気を利かしたキワが、急いで伊達巻を持って来た。録郎はそれを器用にくるくると巻きつけて、帯を下目に結ぶと、女たちから感嘆の声が上がった。猪首で、肩の盛り上がっている風呂屋のお内儀だが、それなりに風格のある姿となった。

「なるほどねえ、着付けって、おそろしいもんですね」

寺の女房がつくづくと言った。風呂屋のお内儀は鏡台の前に立って、

「へえー、こりゃあわたしもまんざらではないわ。これなら村の若い衆が騒ぐかも知れない

よ」

と、楽しそうに帯を叩いた。みんながまた笑い崩れた。録郎を見る女たちの目に、尊敬に似たものが宿っていた。と、その時、庭で恭一の歌う声がした。

一つとせ　人の上には人はなき
権利にかわりは　ないからは……

いい声だった。

二つとせ　二つとはないわが命
捨てても自由が　ないからは
この惜しみゃせぬ
三つとせ　民権自由の世の中に
まだ目のさめざる　人がある
このあわれさよ……

「ほう、珍しい歌を聞くものや。あれは民権数え歌ですわな、山形屋のお内儀さん」

　録郎が耳を傾けた。

「さ、何の歌か存じませんが……」

　キワは頭を下げた。亡き夫長吉が幼い子供たちに繰り返し歌い聞かせていた歌である。

「確かに民権数え歌ですわ。およそ三十年も昔の歌ですやろ。今時聞くなんて、珍しい」

「あの歌なら、わたしも覚えていますよ」

　風呂屋のお内儀が借りた伊達巻を解きながら、

「栄え行く世のその本は、民の自由にあるぞいな……とかいう歌でしょうが。亡くなった山形屋さんが、村の若いもんたちに、よく歌わせていた歌ですわ」

「ほほう、山形屋さんがね。お国はどこで？」

　録郎の問いに、女たちは不意に黙った。キワの夫はどこの誰か、実の名さえわからぬ者であることを、苫幌の人々は皆知っていた。

「さあ、岩手とか聞きましたが」

　キワはさりげなく答えた。

「岩手？　福島とはちがいますやろか」

　録郎が呟いた。恭一の歌がつづいている。

十六とせ　牢屋の中に　憂き艱苦
ほれた自由のためなれば
このいとやせぬ

軒の風鈴が鳴り始めた。涼風がようやく部屋の中を吹きぬけた。録郎は一人何かうなずいていた。

着付師

六

順平が佐渡の墓参から帰って来たのは、出発してから半月過ぎた後であった。順平が戻って来ると、その日の中に店に活気がみなぎった。

「不思議なものだわね」

ふじ乃はそのことを順平に言った。

「番頭だって、小僧だって、あんたがいる時より、ずっと一生懸命やってる筈なのに……こうひとつ店の活気がちがうのね」

ふじ乃は食後、順平の腰をもみながら、甘えるように言った。

「そうかね、そんなものかねえ」

言われて順平も満更ではない。

「そうそう、珍しい人が来ましたよ」

「珍しい人?」

順平は顔を捩(ねじ)るようにしてふじ乃を見た。ふじ乃の目もとが笑って、

「当ててごらんなさい」

と言う。志津代が、そんな父と母の傍で、折紙を折りながら久しぶりに満ち足りた心地になっていた。折紙は順平の東京からの土産のひとつであった。この辺りでは見られない肌ざわりのよい折紙だった。

「増野だろう」

「あら、誰に聞きました？」

ふじ乃の手がとまった。

「増野の家に寄って来たよ」

ひと呼吸おいてから、

「あら、そうですか」

と、ふじ乃が答えた。

「戦争に行っていたそうだが、無事で帰ったことを、お内儀さんが喜んでいたよ」

「……あの人のお内儀さんて、どんな人？」

「うん、小ぎれいな女だよ。利口そうな女だ。玄関の格子戸までぴかぴかに磨き上げている、なかなか立派な女だ」

「そう……で、どんな家？」

「なに小さな家さ。三間（みま）もあるかな。子供は上が男で、下二人が女だ」

「そう……」

「評判の仲よし夫婦らしい」

ふじ乃のもむ手がおろそかになった。

「ねえ、お父っつあん」

幾つかだまし舟をつくっていた志津代が順平に声をかけた。志津代はあの泥棒の一件を順平に聞いてもらいたいと思ったのだ。順平ならば、自分を寝呆けたなどとは言わないにちがいないと、志津代は思う。子供の話でも、順平は決していい加減に聞くことをしない人間である。志津代は子供心にもそう感じ取っている。

「なんだ、志津代」

問い返す順平の声が優しい。

「あのね……」

言いかける志津代の視線が、ふじ乃に走った。ふじ乃がその志津代をじっと見つめていた。途端に志津代は、言うことをやめた。母の前で言い出しては、また寝呆け話にされてしまう。

「ね、お父っつぁん、佐渡に、どうしておっかさんを連れて行かないの?」

これも聞いてみたいひとつだった。十六、七で佐渡の真野を出たきり、一度も佐渡に帰ったことのないというふじ乃の話を、去年あたりから、志津代は不思議に思ってきたのだ。

帰りたいと母が言っているのを聞いたこともなければ、

「一度お前も佐渡に帰ってみないか」

と、順平が誘っているのを、見たこともない。佐渡に行くには、二度も船に乗らねばならないと聞いているので、女の身では、その旅は無理なのかと思いもした。だが、十一にもなると、そんなに無理でもあるまいと思うようになった。もっとも、女が長旅をすることは、この辺では余り聞かない。不思議に思うほうが、まちがっているのかとも思う。だが、一度は尋ねてみたいことだった。志津代の言葉に、順平もふじ乃も、一瞬押し黙った。志津代は、聞いてならぬことを聞いたのかと、黙った順平とふじ乃を見た。

「……うん、うちは店だからな。お父っつぁんとおっかさんと、二人で出て歩くわけにもいかんのだ。な、ふじ乃」

順平の言葉の調子に、どこか不自然なものがあることを、志津代は感じた。

「そうだよ、もう、六、七年もしたら、志津代が婿さんを取って店を守ってくれるだろ。そうなればおっかさんも、安心して店を留守に出来るだろうけどさ」

ふじ乃の語調も、何となく志津代の機嫌を取るように聞こえた。

「ふーん。わたしが大きくなったら、おっかさんも佐渡に帰るの?」

「あと、五、六年だよ、じき帰れるよ」

志津代には、自分が婿を取るまでには、十年も二十年もあるような気がした。

「お父っつぁんの生まれた家や、おっかさんの生まれた家、わたし、なんにも知らない」

不満そうに志津代は言った。佐渡から父母の親戚が訪ねて来たこともなければ、どんな家族がどのように住んでいるかも、志津代はほとんど聞かされていないのだ。この間、山形屋で、増野録郎とお内儀たちが話していた。

「増野さん、北海道に渡って来た者は、どうせご維新の負け犬か、内地での食いつめ者なのさ」

風呂屋のお内儀がそう言うと、録郎が、

「いやいや、負け犬や食いつめ者は内地にも仰山おりまっせ。同じ食いつめ者、負け犬でも、はるばる北海道まで渡って来ましたんや。只の負け犬ではあらしまへん。只の食いつめ者ではあらしまへん。根性がちがいますやろ、根性が」

と、ほめ上げた。網元のお内儀が喜んで、

「その言葉気に入った」

と、更に一反買い足した。その食いつめ者や負け犬という言葉も、志津代は順平に聞きたかった。

順平が帰宅して一週間経った。もう順平の耳にも泥棒騒ぎの話は入っていた。ふじ乃の口から聞いたのだ。が、まだ志津代の口からは入っていなかった。寺の寄合いがあって、順平がその日の午後店を出た。志津代は順平について、裏の坂道を一緒に登って行った。砂土のずるずると滑る道だった。細い道の両側に、ハマナスの実や、野苺が赤かった。

「志津代も行く」

今日、お下げ髪に結われたそのお下げが肩の上で飛び跳ねる。志津代は草履ばきのまま順平のあとを行く。

「ね、お父っつぁん」

しばらく黙って歩いていた志津代が、あの夜のことを言い出した。一部始終を語ってから尋ねた。

「ねえ、わたし、やっぱり寝呆けていたと思う?」

みんなに寝呆けていたと言われるのが、志津代は何より口惜しい。聞き終わった順平が答えた。

「お父っつぁんはな、志津代が寝呆けていたとは思わん」

「ほんと!? お父っつぁん。寝呆けたと思わない?」

志津代は意気込んで念を押す。

「うん。志津代も三つや四つの子供じゃない。十一の、しかもしっかりもんだ。お前がな、蔵の方に歩いて行く男を見たというのは、ほんとだろう」

順平が少し重苦しい顔をした。それには気づかず、

「ああよかった。信用された」

と、志津代は声を弾ませ、

「やっぱりお父っつぁんのほうが、おっかさんより好き、大好き」

と、順平の腕に寄りすがった。順平はその志津代の肩に手をかけて、

「だがね、おっかさんを嫌っちゃいかんよ。こんな小さな土地ではな、人のことをよく考えないといかんのだ。もし誰かが忍びこんだと言い立てたら、必ずその男を探し出さにゃならんだろ。別に盗まれた物もなし、お前が寝呆けたことにしておけば、万事がまるく納まると、おっかさんは考えたんだよ。おっかさんは利口者だ」

そう言う順平のまなざしがなぜか暗かった。

翌年五月、ふじ乃は男の子を生んだ。

戸籍謄本

戸籍謄本

一

志津代が母のふじ乃の妊娠を知ったのは、十一月初めであった。一度降った雪が消えて、あたたかな日和(ひより)が戻っていた。その日志津代は、数人の友だちと学校から帰るところであった。天塩(てしお)山脈が野の彼方にくっきりと稜線を見せ、その頂が新雪に輝いている。ほんのひと握りの市街の家並がとぎれると、あとは畠がつづくばかりだ。両側の道べに呆けた野菊が風に揺れていた。志津代たちは木綿の風呂敷に教科書を包み、肩から斜めに背負っていた。

一同が唱歌をうたう。

昔々浦島は　助けた亀に
連れられて　竜宮城に来て見れば
絵にも描けない　美しさ

十一月の末に敬老学芸会が催される。志津代たちは「浦島太郎」の劇をする。その稽古が今日もあった。志津代は乙姫で、他の子供たちはヒラメやタイの役だった。みんなの声が一つに合う。少し行くと、一人が言った。

「ねえ、昨日ね、網元の家に小樽からタンスが来たんだよ」

「タンス？　タンスって何さ」

他の一人が言った。

「タンスってタンスだべさ」

言い出した女の子が少し戸惑ったように答えた。この苫幌にタンスのある家は至って少ない。嫁入り道具に柳行李を持って来ればそれでもう「大変な嫁入り」だった。たいていは風呂敷に着物や羽織を一、二枚包んで嫁入りした。

「タンスってね、着物や帯を入れるもんだよ」

志津代が言った。

「ふーん、着物や帯って……」

みんなが顔を見合わせた。たくさんの引出しの中に着物や帯を入れるだけの衣裳を、子供たちは想像することが出来ないのだ。どの子の母親も、何年か前の着物と同じ柄の着物を着ている。

「タンスって、どんなぐらい大きいの？」

一番小柄な子が首を傾けた。

「こんなにさ」

昨日網元の家にタンスが来たと言った子が、両腕で大きくタンスを描いて見せた。

「へえー、そんなにでっかいの?」

子供たちはますます怪訝(けげん)な顔をした。この子供たちの中には、増野録郎から毎年呉服物を買う親を持っている者はいない。増野録郎に招待を受けた者でも、一度に二枚も三枚も買えるのは、網元のお内儀と、志津代の母のふじ乃ぐらいであった。ほかは一年に一枚買うのが限界で、中には、

「今年は目の保養だけさせてもらうよ」

と言う者もないではない。呉服物は志津代の家のカネナカの店でも売っている。メリンスや木綿の着物をつけで、何年かに一度買っていくのが、苫幌の住民たちの姿だった。銘仙の着物でも買おうものなら、たちまち評判になった。それはたいてい縁談のまとまった娘のいる家だった。

「うちのタンス、見せて上げようか」

志津代が言いかけた時だった。うしろから、

「志津代ちゃん」

と呼ぶ声がした。みんながふり返った。いつの間にか、そこに風呂屋のお内儀がにこにこと立っていた。

「こんにちは」

子供たちはあわてて一斉にお辞儀をした。大人に道で会ったら、きちんと立ちどまって挨拶をするようにと、度々朝礼の時に校長から教えられていた。

「あ、こんにちは、こんにちは。苫幌の学校の生徒は、本当に行儀がいいね」

愛想よく風呂屋のお内儀は答えてから、大きなまるい手で、

「志津代ちゃん、ちょっとちょっと」

と手招きした。他の子供たちは、近づいて行く志津代と風呂屋のお内儀をじっと見守った。その子供たちにお内儀は、

「小母さんはちょっと志津代ちゃんに話があるの。あんたたち先に行っててちょうだい」

と言い、自分の前に来た志津代の肩に、その肉厚い手を置いた。

「さようなら」

子供たちはそろって一礼するとすぐに去って行った。志津代はふり返って見送る間もなかった。風呂屋のお内儀が、誰も辺りに人はいないのに、志津代の耳にささやくようにこう言ったからだ。

「志津代ちゃん、知ってるかい?」

大人に知ってるかと問われて、志津代は少し不安になった。

「何をですか?」

「何をって、あんたの家に赤ちゃんが生まれることをさ」

「赤ちゃん!?」

志津代は思わず声を上げた。志津代は一人娘だった。母から聞いた話によると、志津代が生まれる前に男の赤ん坊ができたという。だがその子は、五カ月で流産してまた、志津代が生まれたあとに、二人生まれてくる筈だったが、その赤児たちも流産したという。流産ということがどういうことか、志津代にはよくわからなかったが、それは志津代にとって、恐ろしい響きを持った言葉であった。以来今日まで、カネナカの家には赤児は授からないのだと、志津代は聞いてきた。ふじ乃からばかりではなく、女中のサイからも幾度か聞かされてきた。それだけに、今の風呂屋のお内儀の言葉は、志津代を驚かせた。

「いつ生まれるの? 今日? あした?」

志津代の頬が紅潮した。今日にも生まれるのかと、十一歳の志津代は思ったのだ。驚き喜ぶ志津代の顔を、風呂屋のお内儀は満足そうに眺めて、

「いやいや、まだお腹に入ったばかりさ。人間の子はね、十月十日と言ってね、十カ月と十日はお腹の中にいるんだよ。だから、生まれてくるのは、ま、来年の六、七月かね」

「来年の六、七月?」

志津代はまだ驚いた顔のまま、尋ね返した。

「そうだよ。だけど、志津代ちゃんにはまだ知らされてなかったのかい。ま、誰でも子供にはいちいち言いはしないけど……でもさ、これはね志津代ちゃん、そりゃあ大変なことなんだよ」

「大変?」

志津代には大変という言葉の意味がのみこめなかった。風呂屋のお内儀は持っていた風呂敷包みを持ち替えて、

「つまりさ、あんたは今まで一人娘だったろう?」

志津代は大きくうなずいた。

「婿取り娘だったろう?」

再び志津代はうなずいた。婿取り娘と言われるのが、志津代は何となくいやだった。ふつうの娘でないようで、落ちつかなかった。

「志津代ちゃん、もしも来年生まれてくる赤ん坊が男の子だったら、あんたは嫁に行けるん

だよ。婿を取らなくてもいいんだよ」

　婿取り娘という言葉は嫌いだが、嫁入りという言葉には夢があった。

「でもね、カネナカのあのうなるほどの財産は、もしかしたら、その赤ん坊一人のものになってしまうかも知れないしねえ。やっぱりこりゃ大変だよ。生まれてきたほうがいいか、悪いか、考えもんだよ志津代ちゃん」

　志津代は首を傾けてにこっと笑った。何でもいい、一人娘の自分にきょうだいが出来るのだ。もじもじと立っている志津代に、風呂屋のお内儀は言った。

「ま、どっちにしてもお目出たいことだからね。小母さんが喜んでたと、おっかさんに言っておくれ」

　志津代はぺこりと頭を下げ、

「さようなら」

　と、もう走り出していた。

（うちに赤ちゃんが生まれる！　ほんとだろうか）

　一刻も早く、志津代は母親に確かめたいと思った。

（だけど……どうして誰も教えてくれないんだろう？）

志津代は駆けて行く。すっかり葉を落した雑木林に晩秋の日が深々と差しこんでいる。

坂道を下りた志津代は、三つの蔵の並んだ手前の枝折戸から庭に入って行った。勉強道具を背につけたまま、店のほうに走って行った。潮騒が風に乗って聞こえている。店と長い土間の仕切りの戸をあけると、

「ただいまあ」

と、志津代はいつものように首だけをのぞかせた。が、いつもは帳ダンスの傍に坐っている父の姿も、その傍らにいる筈の母の姿もなかった。

「お帰りー」

と言ってくれたのは、番頭と小僧たちであった。店には三、四人の漁師たちが何やら冗談を言って笑い合っていた。

「おっかさんは？」

と尋ねる志津代に、番頭が、

「さてな、奥じゃないかい」

と、実直な顔を志津代に向けた。志津代は長土間を走って居間をのぞいたが、父も母もいなかった。女中のミネが赤いたすきをかけて、畳を拭いていた。

「ただいま、おっかさんは？」

「お帰んなさい。お内儀さんは店じゃないですか」

台所の方でサイの声がした。

「ちょうどよかった。おいもとカボチャ煮えたところですよ」

志津代は台所に行った。父と母が店にいないことは珍しい。奥にもいない。勢いこんで走って来ただけに、肩すかしを食ったような気がした。

「ね、小母さん、お父っつぁんとおっかさんは？」

カボチャと馬鈴薯（ばれいしょ）の塩煮を盛った皿を手渡すサイに、志津代は尋ねた。

「はてな、サイは知りませんよ」

そう答えたが、志津代は知らない筈がないような気がした。番頭も、ミネも、サイも、知っていて知らぬふりをしているような気がした。だが志津代は、こんな時しつこく尋ねてはならぬことも、子供心に心得ていた。

「ね、小母さん、うちに赤ちゃんが生まれるって、ほんと？」

サイの肩がぴくりと動いた。

「まあ！　そんなこと……誰に聞きました？」

咎（とが）めるような声だった。

「誰って……お風呂屋の小母さんよ」

「お風呂屋の小母さん？　それで？　志津代ちゃんに何と言ったのかしらね」

「来年の六月か七月頃、うちに赤ちゃんが生まれるんだって」

「それだけ？」

「そしたらね、志津代ね、婿取り娘でなくなるかも知れないんだって」

「それだけ？」

「それからね、とっても喜んでいるって」

「それだけ？」

サイは硬い表情を崩さなかった。

「ね、ほんと？　赤ちゃんが生まれるって」

サイはちょっと黙ったが、

「ええ、ほんとですとも。きっと旦那さまそっくりの、立派な赤ちゃんが生まれますよ」

サイは、旦那さまそっくりという言葉に、力を入れてそう答えた。

「ほんと!?　やっぱりほんと？」

志津代の顔が輝き、ようやく湯気の上がるカボチャに箸をつけた。

カボチャと馬鈴薯の塩煮をまたたく間にたいらげて茶の間に戻ると、まだ畳を拭いていたミネが、

「内緒だけどさ、旦那さんとお内儀さん、きっと蔵だと思うよ」

と、小声で言った。

「蔵？」

順平とふじ乃が蔵に入ることは珍しくない。それなのに、なぜ今日は内緒なのか。一瞬志津代は不審に思ったが、

「行ってみる」

と、土間に下りようとした。ミネはあわてて志津代の手を引いた。

「駄目、今日は駄目。旦那さんとお内儀さんの機嫌が悪いから駄目よ」

ミネの目に必死なものを志津代は見た。ここでもまた志津代は、自分の知らない大人の世界を感じ取った。

順平とふじ乃が蔵から戻って来たのは、それから間もなくであった。順平の手には掛軸が握られていた。

「おや、うす暗いじゃないか。そろそろランプを点（つ）けたほうがいいよ」

ふじ乃は台所のサイとミネに声をかけた。いつもと変らぬ声音だった。順平が鶯竿（うぐいすざお）で、床の間に掛けてあった山水の絵をおろした。一ヵ月に一度、順平とふじ乃は掛軸を変える。いつもと変らぬ雰囲気だった。志津代は安心して言った。

「ね、おっかさん、来年うちに赤ちゃんが生まれるって、ほんと？」

途端に順平とふじ乃の表情が固くなった。が、次の瞬間順平が言った。

「本当だよ。しかし志津代、誰に聞いたんだ?」

「お風呂屋の小母さんが、学校の帰りに、教えてくれたの」

ふじ乃は、今掛けた掛軸を眺めていた。赤い実が一つ枝に残る柿の木の絵であった。

「お風呂屋の小母さんか。世間の耳は早いな。人の口に戸は立てられぬとはよく言ったもんだ」

順平は大島の羽織のひもを結び直しながら呟くように言った。

「おめでとうって、小母さん言ったよ。喜んでるって」

「喜んでる、か」

順平はつと店の方に足を向けたが、部屋を出ようとしてふり返り、

「志津代、これからは店に出て手伝いなさい。お前はこの店の跡継ぎなのだから」

と、少しきびしい語調で言った。

「ハイ」

志津代は驚いて答えた。今までは、店に出てはならぬと言われてきた。それが急に手伝えと言われたのだ。志津代にはうれしいことだが、急のことでどぎまぎした。ふじ乃は床の間の前に坐って、見るともなく掛軸を仰いでいる。ふじ乃の体から力がぬけたように、

志津代の目には見えた。父も母も、赤ん坊が生まれることを喜んでいるようには思えなかった。

(どうしてだろう?)

そう思った時、ふじ乃が、

「志津代、ここへおいで」

と呼んだ。

「なあに」

傍に寄ると、ふじ乃は志津代の肩を抱いて、頬ずりをした。冷たい頬だった。

戸籍謄本

二

　陸地も海も見境もつかぬほどの激しい吹雪だ。折々家が吹き飛ばされるように揺れる。もう今日で四日もふぶいている。間もなく三月だが苫幌の冬はきびしい。が、きびしくはあっても、浜の春は山間の村々より一足早く来る。それは、三月も末になれば鰊漁が始まるからだ。その鰊漁の一ヵ月前には、毎日四人五人と、ヤン衆と呼ばれる鰊場の漁夫たちが本州からやって来る。それが春の始まりなのだ。

　鉄道は留萌（るもい）までしか来ていない。その留萌までの五十キロの雪道を、毎日数台の箱馬橇（はこばそり）が定期便として通っている。長ひょろい箱に湯たんぽを入れ、毛布にくるまってヤン衆たちが苫幌にもやって来る。それが春のさきがけだ。

　この数日の激しい吹雪で、その定期便の箱馬橇（ばそり）の往来もぷっつりと途絶えた。が、山形屋は結構忙しかった。定期便の箱馬橇（ばそり）は羽幌（はぼろ）まで行く。山形屋はそれら馬橇（ばそり）の駅亭ともなっていて、ふだんでも馬や馭者（ぎょしゃ）が山形屋で一服して行く。馬に水や飼葉をやり、馭者に飯や茶の接待をする。吹雪になれば、馬も人も山形屋にとどまらねばならない。箱馬橇（ばそり）に運ばれて来た客たちも同様に足どめを食う。吹雪で一歩も外に出ることの出来ない男たちは、朝から酒を飲み、花札をする。外の寒さとは反対に、山形屋には活気が漲る。布団の上げおろしや掃除は恭一や文治が受け持つ。

　キワは今、台所で三平汁の用意をしていた。塩鮭のアラや切り身を、昆布で取ったダシ汁に入れ、馬鈴薯、人参、大根の薄切りと共に火にかける。これに放つ長ネギをぶつ切りにしながら、キワは二階の楓の間の泊り客、北上の昨夜の言葉を思い返していた。北上は行商人でもない。ヤン衆たちともちがう。縞の着物に兵児帯をしめ、角前垂れはしているが、商人の匂いがなかった。いつ見ても本を読んでいる。本を読む時、あぐらをかいていることがない。寝そべっていることがない。端然と正座して、背筋をぴんと張り、どこか死んだ夫の長吉に居ずまいが似ている。長吉が苫幌に来た頃は、無口でほとんど言葉らしい言葉も交わさなかったが、この男はその点長吉とはちがって、表情も語調も明るく親しみ深かった。年齢は、長吉が生きていたらその年頃の四十過ぎに見えた。時には馭者たちの酒の席にも顔を出し、花札に加わることはある。が、大抵は読書で時間を潰し、恭一や文治が膳を運んで行くと、二人が喜ぶような話を聞かせる。客の名は宿帳には北上宏明とあった。キワの目から見ても、その筆字は、いかにも書き馴れた達筆であった。

「吹雪で漁がなくて……お刺身も上げられず、すみません」

　昨夜、キワが謝ると、北上は、

「いやいや、わたしは感服していますよ。こんなに、三日も四日も閉じこめられて、一歩も外に出られないというのに、お内儀さんは大したもんだ。自分で豆腐まで作って、湯豆腐やら白あえやら……納豆も手作りでしょう。わたしの郷里では何か、かにか、青い物が畠にあるし、吹雪に閉じこめられることなど一生に一度もない。そんな所に育った者から言いますとね、吹雪なんぞにびくともせず、毎日次々とちがう献立で、居つづけの客をもてなして下さる。偉いものだと舌を巻いておりますよ」

と、しみじみと言った。そんなほめ言葉など、キワは客に言われたことがない。久しぶりに心の暖まる思いをした。北上は言った。

「ほんとですよ、お内儀さん。わたしの国の女たちを、こんな吹雪の中に住まわせてごらんなさい。おろおろするばかりで何も手につきやしません。いや、野郎共だって、吹雪でなくても、十日も二十日も雪の中に置かれては、とても落ちついてはおられませんよ」

「それは馴れないからですよ。馴れてしまえば……」

キワは膝に目を落した。何か、肉親に会ったような心の安らぎを覚えたが、キワはその自分にはっと気づいて、膳を持って立ち上がろうとした。その時北上は、

「差し支えがなければ、ちょっとお内儀さんに聞きたいことがあるんだが……」

と言いだした。

「は？」

聞きたいこととは何なのか。他に客もある。そう長く一人の客に時間を取ることは出来ない。そのキワのためらいを見ぬいたように、

「いや、今すぐでなくても……出来れば上の息子さんにも一緒に尋ねたいことがあるんで……」

と、北上はさわやかな語調で言った。

その後、夕食の後始末をし、髪を撫でつけて、キワは恭一と共に、北上の部屋に出向いた。

北上は二人の顔を見ると、

「いや、お疲れのところをどうも」

と言いながら、薪ストーブの戸をあけ、薪を二本ストーブの中に入れ、

「実はね、増野録郎という人をご存じですか」

思いがけず、北上の口から増野録郎の名が出た。

「は、増野さんは、四、五年前からこの苫幌においでになられて……それが？」

「いや、実はあの男は若い頃、わたし共と一緒に運動をした仲間でしてな」

「運動？　ですか」

「え、例の自由民権運動です。と言っても、増野は一年も経たずに別の世界に移って行きま

したがね。目端（めはし）の利く男で、わたし共の生き方とは、ちがう道を選ばざるを得なかったのでしょう」

「はあ」

キワは増野にいきなり手を握られた日のことを、ふっと思い浮かべながらうなずいた。

「別の道には行きましたが、別段喧嘩別れをしたわけではなし、東京のわたしの家には……わたしは郷里は福島ですがね……二年に一度ぐらいは顔を出しています。実は去年の九月でしたか、北海道からの帰りだと言って、私の家に一晩泊って行きましてね。そこで山形屋さんの話が出たんですよ」

「はあ、あの、どんな?」

キワは茶道具を引き寄せながら言った。

「いや、ここの息子さんたちが、あの長い民権数え歌を、最後まで歌っていたと、驚いていましてね、あれを教えたというこちらのご主人は、どんな人なのだろうと、気になってならないと言うんですよ」

「はあ」

キワは恭一と顔を見合わせた。

「自由民権のこと、恭一君知っているかね」

「まだよくわかりません」

答える恭一は声変わりしていた。

「自由民権運動については、一口には言えないがね。国民はみんな自由と平等の権利を持つべきだという思想が根本にある。数え歌にも〈栄え行く世のその本は　民の自由に　あるぞいな〉とうたっているとおりにね」

「はい」

吹雪が激しく家を揺すり、吊したランプが揺れた。

「これはね、封建的な徳川三百年の時代に生きて来た日本人には、驚くべき思想でね。言ってみれば、自由民権は政府の絶対主義権力に対する跳ね返しなんだよ。士族も豪農も一丸になって、この運動を進めて来たんだよ」

温和に見えた北上の目が熱してきた。北上は一層力をこめて語った。この運動のために、日本各地で何百回となく演説会が持たれ、弁士は口を極めて政府の圧政を批判した。演説会は何処(どこ)においても大盛会となり、別けても大阪においては、千五、六百名もの聴衆が芝居小屋に集まり、その根板(ねいた)を抜いて何十人もの会衆が奈落に落ちたことさえあった。

新聞の創刊は毎年何十紙を超え、この自由民権運動を支えるのみならず、自ら社説をもって激しく訴えた。そのため明治十六年、新聞条例が大改悪され、一大弾圧によって、記者た

ちは幾度となく投獄された。しかし国民の官製憲法反対、官製国会反対ののろしは消えなかった。女子の手まり歌にさえ、

三つとせ　見れば見るほど
憎い奴　憎い奴
お髭掃除の　たいこ持ち　たいこ持ち

と、政府高官に対する憎悪をあらわにしていた。北上はこんな話を熱心に語って、

「ところで恭一君、空知集治監のことは聞いているだろう?」

「はい。凶悪犯がつながれていたとか」

「何が凶悪犯なものか。あそこに入っている人たちはね、貧しい者の生活を、人並みの生活に変えてやりたいと、運動した自由民権家たちが多く入れられていたのだよ」

「ほんとですか」

「うそなものか。わたしの仲間たちがどれほどぶちこまれていたか。本州ではね、飢えて死ぬ子の出る年もある。ひどい飢饉の年がある。親が娘を売り、それで一家の飢えを凌ぐという大変な農家が、どれほどあることか。みんなそのために運動して、北海道の監獄にぶちこ

まれる」

　そう言って、北上は不意に押し黙った。キワは、今のような話を長吉から聞いたことがあると思い返していた。長吉も自由民権の話をする時、北上のように熱したまなざしになった。北上はじっとストーブの窓にゆらぐ炎を見つめたまま、なかなか口を開こうとしない。息苦しいものを感じて、恭一は尋ねた。

「あのう……その話と、ぼくたちと何か……」

「うん」

　答えたが北上はまだ炎を見つめていた。

「死んだおやじと、何か関係があるんでしょうか」

「いや、それはわからん」

　北上はキワを見、恭一を見た。

「実はこれから語ることは、語っていいことか、悪いことか、わからないのだが……」

　キワは優しい目をちょっとまたたかせてから、

「どんなことでございましょう」

　と、静かに言った。

「ここに三日世話になったが、お内儀さんの折目の正しさ、子供さんたちの気魄のある挙止には敬服している。恭一君も十七歳、昔で言えば、元服もとうに過ぎた一人前の若者だ。だから言うのだが……実は増野から山形屋さんの様子を聞いた時、お宅の亡くなったご主人は、まちがいなく吾々の同志だと信ずることが出来たのです。自分の子供にあの長い民権数え歌を全部教えこんだということが、何よりそれを物語ってはいませんか」

キワは黙って頭を下げた。何と答えるべきか、わからなかった。

「ご主人は漢学に優れていられたそうですね」

「はい、この辺では、学校の先生より物知りと言われたようです」

「西洋の字も書かれたとか」

「はい、わたくしには一つもわからぬことでしたが……」

「相州には、『耕餘塾』といって、漢学はむろん、西洋の学問も教える塾がありましてな。日本中から百余名の門人が集まっていました。この門人たちに民権運動家が多かったわけです。その彼らが国に帰って、またそれぞれに習ったことを教えるというわけで、多分ご主人はその一人であったと推察されます。それだけにその筋から睨(にら)まれて、空知集治監に投獄されたおそれもないわけではないと思うのです」

「え!?」

キワと恭一は思わず驚きの声を発した。

「では、親父は囚人だったというのですか」

「わたしにはそんな気がする」

北上は何か心当りでもあるように確信のある語調だった。

「囚人だなんて……重罪犯人だなんて……」

「恭一君、北海道の監獄には重罪犯人が入っていると言っているのは、政府なのだ。言っているほうが、もっと凶悪犯かも知れないのだよ」

「…………」

「恭一君も勉強したらわかる。政府は目茶苦茶なのだ。黒田清隆を見てみ給え。彼がその妻を酒に酔って殺したことは、天下に知らぬ者はない。それが総理大臣になった。それではならぬと言う者は監獄に入れられるのだ。理屈に合ったことを言った者が、空知監獄に入れられたのだ。むろん、強盗や殺人犯もいないわけではなかったがね」

「しかし、ぼくたちの父親が、囚人だったとは……」

「恭一君、囚人であることが名誉なこともある。わたしは二度とこの土地に来る機会がないかも知れんので、思い切ってわたしの考えを述べてみる。君の父親は、民権運動で投獄され、そして脱獄した。民権運動をしていた仲間たちは、空知集治監の近くに、少なからず入殖していた。脱獄して来る彼らをかくまうためであり、すぐそばに同志がいることで、励ますためでもあったのだ」

　恭一は深くうなずいた。思っても見なかった父の姿が、恭一の胸に刻まれようとしていた。

「君のお父さんは、おそらく同志の農民に助けられ、郷里に連絡を取ってもらって仕度金を得て、この苫幌に現れたにちがいない。増野から聞いたところによると、あんたがたのお父さんは入籍していなかったという。わたしはその話を聞いた時、入籍出来ない立場とはどんな立場かを考えてみた。君たちの幸せを思えば、お父さんは本名を使うわけにはいかなかった。自分の故郷を語るわけにもいかなかった。だが立派なお父さんだったと思うよ」

　キワの目が涙に光った。恭一も唇を噛んだ。

「問題は君たちの戸籍のことだ。恭一君たちは私生児になっている筈だ。私生児というのはね、今の社会ではね、日陰者として扱われる。そのように運命づけられているわけだが……」

　北上はキワと恭一の目を替わる替わるに見た。睨むばかりの真剣な目であった。

　その時のことをキワは今、ネギを刻みながら思っていた。吹雪は一層つのるようであった。

三

吹雪が去り、馭者(ぎょしゃ)や、馬や、北上宏明たちが去って三日目――息をつく暇もなく、新しい客が二人留萌(るもい)からの馬橇(ばそり)で送られて来た。網売りの客だった。二人は朝から、揃って網元の家々に出かけている。

あの吹雪を忘れたかのように、今日も空は青く晴れ渡っていた。雑巾がけの手をとめて、キワは二階の廊下のガラス越しに、外を見おろした。山形屋のすぐ裏手から崖になっていて、下の漁師街が弧を描き、海と崖との間に広がっている。山形屋の右崖下に網元の屋敷が見える。吹雪のあとの雪がきらきらときらめく。そのきらめく雪の上に、崖下から海岸にかけて四、五百メートルもの縄が何十条となく扇形に張られている。漁に使うための縄なのだ。先に入ったヤン衆たちが、この縄を山の手から海岸にかけて張ると、苫幌はもう春が来たように浮き足立つ。鰊(にしん)の来るのが近いのだ。更にヤン衆の数が増え、やがて網おろしの日が来る。出漁式である。村中の者がその出漁式を見に集まって来る。直径五寸もの餡餅(あんもち)が見物衆のすべてに配られる。夜には網元の家々の広間で、ヤン衆たちの祝宴が張られる。文字どおり山海の珍味が、二の膳つきでずらりと並べられ、お国自慢の芸が披露される。それらが村人たちの楽しみで、大人も子供も見物に行く。この宴は、ほとんど夜通しつづく。その騒ぎの声が、山形屋に聞こえてくる日も遠くはない。張縄はその先ぶれなのだ。

キワには、幼い頃から見馴れた風景なのだが、見る度に心が和む。美しいと思う。純白の雪の上に、新鮮な縄の色が早春の陽を弾いて、時に金色に輝く。死んだ長吉は、初めてこの光景を目にした時、思わず「おお」と声を上げて、傍らのキワの肩を抱きよせてくれたものだ。

キワは海に目をやった。ところどころ白い波頭は立ってはいるが、空を映して今日の海はおだやかだった。天売・焼尻の島も、手が届くほどに近く見える。キワは再び廊下の雑巾がけを始めた。あの夜以来、北上に聞いた長吉の姿は胸に彫りつけられて離れない。今もあの時の北上の言葉が、一語一語鮮やかに聞こえてくる。

「子供さんたちを、私生児のままで、一生過ごさせるつもりですか」

北上は恭一の前でキワに言った。

「私生児と言っても……」

キワは口ごもった。長吉と自分は、土地の者を招いて結婚式も挙げた。披露宴もした。仲人に連れられて、あちこち挨拶廻りにも歩いた。立派に夫婦になる手続きも踏んだとキワは思う。夫としての長吉も、人にうしろ指を指されるようなことはなかった。むしろ村人は、「山形屋の若旦那」「若大将」と言って、尊敬した。入籍していなかったことを知って、一時は軽んずる者や嘲る者がいたかも知れないが、今では格別辛い思いをすることもない。子供たちを私生児呼ばわりされることに、納得のいかない面持ちで、キワは北上を見た。恭一も同じ思いであるようだった。その二人の気持を北上も察して言った。

「そうです。お内儀さん。私生児と言っても、勝手にふしだらをしたわけじゃなし……。まあ、言ってみれば、何か事情があって戸籍上の手続きが出来なかった、それだけの話ですよ。誰にも恥ずることはありませんよ」

キワは静かに顔を上げた。事実、何一つとしてキワには恥ずることがなかった。ストーブの薪が弾ける音を立てた。その音が、なぜかキワを侘しくさせた。それは説明のつかぬ侘しさだった。

(長吉さえ生きていたら……)

という思いであったかも知れない。

「しかしですね、お内儀さん。これから息子さんたちが上の学校に行く、あるいは職につく、あるいは嫁をもらう、その時々に、私生児というこの三文字が邪魔立てをする。それが明治という新時代なのです。四十年前の江戸時代とはちがうのです」

「ちがうと言われましても……とうに父親の長吉は死んでおりますし……」

控えめな語調だった。キワはしっかり者だが、激しい語調で自分を主張するということを知らない女であった。

「いや、しかしですね。私生児ではなく、庶子にする道はあるのですよ」

北上はひと膝進めた。二人の話を聞いていた恭一が言った。

「お客さん、庶子って何ですか」

「庶子というのはね……つまり私生児は父（てて）なし子と言われている。だが、庶子は、これは私の子だと認知している父がある子のことで、これなら父なし子ではないから、世間に通用するわけですよ」

キワと恭一は怪訝（けげん）な顔をした。北上は大きくうなずいて、

「山形屋の大将が亡くなっているのに、庶子になれるわけはないというのでしょう」

キワも恭一もうなずいた。

「それがですね、お内儀さん。あるんですよ。誰か知合いに頼んで、戸籍上の父親になってもらうのですよ。つまり認知してもらうんです」

「え⁉」

キワはかすかにその唇をあけた。聡明なまなざしにかげりが浮かんだ。恭一が言った。

「そんな馬鹿な！　ね、母さん、誰かに認知してもらうなんて、それじゃ嘘になるじゃないですか」

「そう、嘘になるだろうな。本当は自分の子でないのに、わたしの子供だと嘘を言うことになる」

「そんな嘘は、ぼくはいやです」

恭一の顔が紅潮した。

「恭一君、君の気持はわかるよ。しかしね、世の中は複雑なのだ。第一ね、ちゃんと結婚式を挙げて、死ぬまで夫婦として暮してもだね。届出しなかったばかりに君たちは私生児となった。その私生児の三文字は、世間に差別扱いをさせ、君たちの人生を暗いものにするとしたら、これは制度のどこかに誤りがある。その誤りに、こっちも対抗するのだ」

「………」

「どこかに君たちの父親をよく知っている人間がいてね、すべての事情をのみこんでね、君たちを自分の子供だと言ってくれる男がいるとすれば、その男に認知してもらえばいいんですよ。そしたら、堂々と大手をふって歩けるでしょう」

「ぼくは今だって、大手をふって歩いています」

恭一は弾き返すように言った。

「それはね、君がまだ戸籍上の問題で、辛い立場に立っていないからだ。もし、将来、結婚したいと思う娘さんが現れても、その父親が、私生児に娘をやるわけにはいかないと反対すれば、泣く泣く諦めるということにも、なりかねないんだよ」

「……………」

恭一は秀でた眉をぐいと寄せ、ストーブの上のやかんの湯気をじっと見つめた。

「あのう……」

おずおずとキワが口を開いた。

「何です？　遠慮なくおっしゃって下さい」

「いえ、あのう……」

キワはその白い首を傾けたが、思い切ったように顔を上げて言った。

「でも……三人もの子を認知してくれる人が、この世におりますでしょうか」

「おりますとも」

確信ありげに北上は言った。

「どこにおりますかしら」

「ここにおります」

北上は、にこっと笑った。

「え!? お客さんが?」

北上は大きくうなずいた。その北上に恭一が言った。

「お客さん、あなたは一体、どなたですか?」

「北上宏明だよ」

恭一の咎めるようなまなざしに、北上は人なつっこい目を向けた。

「おやじと、何か関係のあるお方ですか」

「…………」

北上は黙ってストーブの戸を開け、薪を一本つぎ足した。

「わたしはね、人間という者は皆、深い関係のある存在だと思っている」

「どういうことですか、それは」

「親戚だから関係が深いとか、見たことがない人だから関係がないとか、言えないもうひとつの関係があると思っている。わかるかね」

「わかりません」

「わたしが教えを受けている先生が、いつも言うのは、知り合った者はすべてきょうだいだ。まだ知っていない人は、いつかきょうだいになる人だ、という言葉です」

「…………」

「もしもだね、君が浜辺を通りかかった時、子供が溺れていたとする。それを君の知らない子供だと言って、黙って通り過ぎて行くかね」

「いえ」

恭一は激しく首を横にふった。

「助けるだろう。すると、その子と君の関係は、命を助けられた者と、助けた者との深い関係になる。どんな人間とも、わたしはそうでありたいのだ。関係がないと言って、見過しにしたくはないのだ」

恭一はうなずいて、

「わかりました。……とすると、やっぱりぼくのおやじを知らないのですね」

「…………」

「知ってるのですか」

北上は深く腕を組んだ。キワはその北上をじっと見つめた。

「ね、知ってるのですね」

恭一が再び尋ねた。北上はキワを見、恭一を見た。

「では、本当のことを明かそう」

二人は息をのんで、北上を見た。ランプの下に片頬がかげっている。

「もしかしたら、お宅のご主人の右膝の下に、二寸ほどの傷跡がありませんでしたか」

「ありました」

間髪を入れずにキワは答えた。

「右耳たぶの下に、大きなほくろはありませんでしたか」

「ありました」

「やっぱり」

北上は大きな目をつむって黙然とした。やがてそのつむった目尻から一筋涙が走った。

北上が語ったところによると、長吉の本名は佐藤文之助と言い、山形の出身ということであった。長吉は十四、五歳の頃から、既に若者たちの中に入り耕餘塾に学んだらしい。塾長は小笠原東陽と言い、天下の俊秀百余名がその門下に集まった。ここから自由民権運動に身を投ずる者が多く出て、豪農の家に生まれた長吉もまた、十八歳にしてその同志となった。二十二歳の時、静岡事件の容疑者の一人として捕えられ、空知(そらち)集治監に投獄された。空知集治監には運動家が多く捕えられていて、他の囚人たちと共に、炭鉱の労役に服していた。が、相次ぐ落盤事故、爆発事故による負傷廃疾者が続出、囚人たちは度々逃亡を企てた。その死亡率、逃亡率の高さに、国民の非難が集中した。そんな中で、長吉もある秋の夜、他の幾人かと共に脱走した。

北上は当時、空知集治監のある市来知（現在の三笠市）の空知教会の前身、空知講義所に身を寄せていた。北上自身も十七、八の頃から民権運動に加わっていたが、二十歳の時キリスト教に入信した。キリスト信者で民権運動に関わっている者は少なくなかった。というより、キリスト教会が民権運動の温床であると信じていた者もいるほどであった。キリスト信者は空知集治監の看守の中にも幾名かいた。初代の渡辺典獄を、函館から桜井牧師が訪ねて来、集治監が出来た翌年の明治六年からキリスト集会が始まった。次第にその集会が大きくなり、空知講義所となったのは明治十九年であった。運動家でかつ信者の北上は、入獄した同志の様子を知ろうとして、この講義所に身を寄せたのであった。

その夜、講義所には誰もいなかった。不意に、倒れこむように入って来た男がいた。一目で囚人と知れた。それが長吉であった。幸い講義所に嫌疑をかける者はなかった。長吉は一カ月ほど講義所にかくまわれた。ひげをきれいに剃り、衣服をあらためた長吉を、囚人と見る者は誰もいなかった。当時講義所には旅人が多く訪ねて来た。特に札幌の信者たちが度々集会の応援に来ていた。長吉もその旅人の一人と見られた。北上は、自分と同じ年頃の長吉に心を惹かれた。長吉を何とか無事に市来知から逃亡させたいと思った。

遂に、ある夜、札幌に帰る信者たちと共に、長吉は市来知を出ることになった。北上はその長吉の身の上を案じて、共に札幌に出た。

「わしは北海道に残る」

　別れる時、長吉は言った。逃亡の身では実家に戻ることも出来ない。しかし長吉が北海道に残ると言ったのは、尚獄中に苦しむ同志へのうしろめたさであったと北上は今も思っている。講義所にいた一ヵ月の間に、北上は長吉の実家に連絡を取り、かなりの金子を札幌の信者宛に送金してもらっていた。その信者経由で講義所に送られた金をふところに、長吉は何処へともなく立ち去ったという。

「居所は知らせない。君に迷惑をかけてはすまないから。君のことは一生忘れない」

　長吉はそう言い、丁寧に礼を述べて北上の前を去った。そしてその時、獄内にいる者の力になってやって欲しいと、無理矢理に北上にかなりの金子を渡したとも北上は言った。

「その数年後、留岡幸助という名牧師が来ましてね、講義所は教会となり、ますます隆盛となっていったわけですが……実は樺戸集治監を脱走した者は、十人に七人は捕らえられているのに、空知の方は十人の中五人しか捕まってはいない。つまり半分は逃げおおせている。わたしは、信者の看守や教会の存在が、何らかの形で影響していたと思っているんですよ。ま、これは信者のわたしの我田引水かも知れませんがね」

　北上は、キワと恭一に、

「これで恭一君たちのお父さんの立派な姿を知ることが出来たでしょう」

恭一はうなずくことも忘れて、呆然としていた。キワも同様だった。足の傷跡は拷問にあった時のものだという。耳たぶの下のほくろと、足の傷を聞かなければ、キワとしてもすぐには信じ難い話であった。

四

五月三十一日、ふじ乃は男の子を生んだ。

「まあ！　何と愛らしい！　こんなかわいい赤ちゃんを見たことはありませんよ」

取り上げた産婆のその言葉を、ふじ乃は祝いに来た村人の誰彼に自慢して聞かせた。

それから三カ月が過ぎた。九月に入ると、吹く風が涼しさを通り越して肌寒い。

「カネナカの赤ん坊は、一体誰に似たんかねえ」

「ほんとうにね。色の白いのはお内儀さんに似てるが、顔立ちがちょっとちがう。父親似でもないことは確かだね」

そんな噂が時折村人の口から出るようになった。

「先祖返りということもあるからね」

「そうそう、いとこに似たりすることもあるしね、他人の空似ということもあるしね」

こんな話は、カネナカの家の中でも、小僧やサイやミネの間でささやかれ、ふじ乃の耳にもいつしか入っていた。

「いいじゃないか、誰に似ようと。エンマ様に似たわけじゃあるまいし。ね、新太郎」

ふじ乃は意にも介さぬようであった。新太郎の名をつけたのは順平ではなかった。男の子が生まれたと聞いても、順平は格別に喜ぶふうもなかった。と言って、不機嫌でもなかった。いつもと変らぬ表情だった。

「どんな名前をつけてよいやら、なんとしても迷うんでねえ。嘉助、名前を考えて欲しいんだが」

順平は大番頭の片山嘉助に、算盤（そろばん）を弾（はじ）きながら頼んだ。嘉助は創業の時からの順平の相談相手で、どんな小さなことにも心を傾けて語る男だった。金壺まなこが嘉助を一層正直者に見せていた。小柄な体で、くるくるとよく働く番頭だった。

「あんまりうれしいと、名前のつけようもありませんな」

嘉助は言い、

「こう、男らしくて、すっきりした名前がよろしゅうございますな」

それが癖のもみ手をしながら、

「そうですなあ、新しい太郎と書いて、新太郎はいかがです？」

「ほう、新太郎、それに決めた」

順平はすぐにそう言った。言われて嘉助の方が戸惑った。

「え？　もっとほかにもお考えになってみたら……」

「なに、新太郎でいいよ、新太郎で。新しいという字が気に入った」

その夜神棚に「命名　新太郎」と、順平の筆で記された半紙が下げられた。

「あのう、わたしがこの名をつけたと、お内儀さんにはご内聞に……」

嘉助の言葉に、

「なに、二人で考えたと言えばいい」

と、順平はそのとおりにふじ乃に告げた。

「まあ！　新太郎！　いい名前じゃありませんか」

ふじ乃は上機嫌であった。順平が名づけようと、番頭が名づけようと何のこだわりも見せなかった。

新太郎が生まれて家の中が賑やかになったと志津代は思う。朝から元気のよい泣き声が家中にひびく。それをあやすふじ乃や、サイやミネの声が楽しげだ。順平とふじ乃が仲よくなったように見える。が、志津代は時々心にかかることがある。番頭が家に帰り、サイや小僧たちがそれぞれの部屋に退くと、妙に順平とふじ乃が黙りこむ。昼と夜の二人の様子がちがうのだ。順平は、人の前では新太郎を抱きはするが、夜になるとほとんど抱かない。昼の疲れが出るのだろうかと思ってもみる。だが自分にはわからぬ何かが隠されているようで、志津代はふっと不安になるのだ。以前の順平とふじ乃は、二人っきりになると安らいだ表情を見せて話し合っていたものだった。その姿がこの頃はない。

（おっかさんが新太郎ばかりかまっているからかしら）

　志津代はそう思う。順平が黙りこんで、一人碁石を置いていたりすると、ふじ乃は新太郎に話しかける。

「新太郎、うれしいかい。淋しいかい」

　そんなことを言うことがある。

「新太郎、早く大きくなるんだよ。それとも、大きくなってもつまらないから、いつまでも赤ちゃんでいたいかい？」

　などと、妙なことを言うこともある。そんな時、ちらっと順平のほうを眺める。順平もちらっとふじ乃を見る。志津代は自分が忘れ去られているような淋しさを感ずる。

　年の暮が近くなって、店へ出入りする者が一層多くなった。昼の食事時は火事場騒ぎのような賑やかさだった。新太郎は新しく雇われた子守のタヨの背に、一日中括りつけられているようになった。タヨは今年小学校四年を卒業して十二歳になっていた。志津代と同じ年だった。志津代は尋常科を卒業して、高等科一年に通っているが、去年までは同級生だった。漁師の子のタヨは志津代より背が低く、小肥りで元気が良かった。

「旦那、跡取りが出来て、ようございましたね」

昼食を馳走になった畳屋の息子が、大きな声でお礼代りに順平に言った。順平は味噌汁の椀を膳の上に置いて、

「ああ、ありがとう。しかし、この子が店を継ぐまで、少なくともあと二十年はかかる。わたしも来年は四十六だ。人生僅か五十年、とてもとてもあと二十年も生きちゃいられない」

「と言いますと?」

「うん、それで考えてるんだがねえ、やっぱり店は、志津代に継がすより仕方がないだろうとねえ」

給仕をしていたサイも、ふじ乃も、そして昼飯に来合わせていた網元の下働きも、床屋の亭主も、店に手伝いに来ていた男たちも、驚いて順平の顔を見た。誰もが新太郎を跡継ぎと見て疑わなかったのだ。新太郎が生まれた時、「カネナカでも跡取り息子が出来た」と、祝ってくれたのだった。それが、今、無雑作に、店は志津代に譲ると順平は言ったのだ。ふじ乃にも、それは知らされていないことだった。だがふじ乃は驚きを抑えて明るく言った。

「旦那さん、旦那さんは長寿の相だって。光隆寺の住職さんが言ってたじゃないの。二十年はおろか、四十年経っても元気ですよ」

順平はふじ乃のほうを見ずに言った。

「さてね、この頃は時々頭がふらつく。何やら目の前がちらちらする。あと、三、四年頑張

戸籍謄本

れたら精一杯さね。志津代にいい婿でもさがしておいてもらわにゃあね」

言われてみると、人々も内心なるほどと納得しないわけにはいかなかった。これから二十年、新太郎が成長するまで、順平が壮健であるとは保証し難い。あと四、五年もすれば、志津代は十六、七になる。ちょうど嫁入り頃の娘になるわけだ。確かに順平の言うとおり、跡目は志津代に譲るほうが順当だと、人々は思った。順平の健康もあるが、嬰児の死亡率も高い。そんなことを、客人たちはそれぞれの胸の中で思った。

この話も、村中に伝わるのに時間はかからなかった。

「まあ、それもそうだわな」

と言う者も少なくなかった。が、

「何しろ大変な物持ちだからなあ、カネナカは」

と、新太郎が受け継ぐべき財産を、自分のことのように惜しがる者もいた。

「なあに、二代目は志津代ちゃんで、三代目は新太郎でもいいわけだ。何せ、志津代と新太郎は年が十一もちがう。あと、三、四年もしたら、志津代だって子供を生めるわけだから、ま、親子みたいなもんだ」

人々は暇にまかせて、様々なことを言い合った。

志津代が下校後すぐに店の手伝いをするようになって、一年は過ぎている。「いらっしゃいませ」「ありがとうございました」の言葉を出すことにも馴れた。商品の名前も、単価も覚えた。暗算の早い志津代は、算盤(そろばん)なしに計算が出来た。そんな志津代を、順平は文字どおり目に入れても痛くないほどに可愛がった。

「うん、志津代はしっかりものだ」

「ほほう、志津代はなかなか頭がいい」

「志津代の頭の下げ方には、心がこもっている」

順平はよく小僧たちの前で、志津代をほめた。

時には志津代を蔵の中に連れて行くこともあった。そこでは、商品の貯え方や、保管の仕方をきびしく教えた。海苔は土用を越さぬこと、米に穀象虫を湧かさせぬこと、どんな日に風を通すとよいとか悪いとか、言って聞かせた。利発で素直な志津代は、順平の言わんとするところをすぐにのみこんで順平を喜ばせた。第三の蔵には書画の掛軸や短冊などもあって、順平はその絵や書について語り聞かせることがあった。順平は自分の持っているもの、覚えているもの、すべてを娘の志津代に引継がせようと心底から願っているようであった。志津代はそんな父が、いよいよ親しく思われた。

ある日、蔵の中で順平は一幅の絵を志津代に見せた。めん鶏とひよこが数羽、薄墨で描かれていた。その絵を見せたあと、不意に順平は、

「志津代」

　と言って、志津代の肩に両手をひしと置いた。激しく迫るような父親の目に、志津代は只ならぬものを感じた。

「なあに、お父っつぁん?」

　志津代は少し怯えたように言った。順平はその志津代を胸の中に掻き抱いて、

「志津代、志津代はわしの子じゃ、志津代はわしの子じゃ」

　と声を詰まらせた。

「新ちゃんも……」

　と言いかけた言葉には答えず、

「志津代、お前はどんな婿が欲しいのだ」

　と、志津代の体から手を離して顔をのぞきこんだ。

「婿さん?」

　志津代は考えたこともなかった。

「うん、そうだ、婿さんだ。志津代、どんな男が婿になるかで、お前の一生は定まるんだ。お前もあと幾つか寝たら十三になる。そろそろ嫁に行ける体になる。今から考えておいても早くはないぞ」

いつもの穏やかな順平とは、どこかちがっていた。順平の胸の中に激しく波立つものがあることを、志津代はわからなかった。わからないながら、父親が真剣であることだけはよくわかった。

「じゃ、お父っつぁんが聞く。年寄りでも若い者でもいい。志津代、お前、このお父っつぁんのような人間が好きか?」

「好き! 好き!」

「そうか、わしが大好きか。そうか。では、大番頭の嘉助はどうか」

「好き、信用出来るもの」

「そうか、信用が出来るか。志津代もなかなか人を見ているな。では、校長先生はどうか」

「好きでも嫌いでもない。ふつう」

「ふつう?」

順平は少し声を立てて笑った。

「だって、ちょっと気取るから」

志津代は恥じらって言った。

「気取るか。……子供だと思ってみていると、油断は出来ないな。では、光隆寺のお寺さんは」

「うん、好きだけど……」

「好きだけど？　どうだい？」

「お婿さんにしたいと思わない」

　またしても順平は笑った。光隆寺の住職は七十を過ぎていた。

「じゃ……去年の夏来た……」

　言いかけて順平は口をつぐんだ。

「え？」

「いや、あの、そのだな。ほら、山形屋の恭一はどうだ」

「恭一さん？　好き。でも、うんと大好きではない」

　恭一はさっぱりはしているのだが、会う度に傍若無人に志津代を抱きすくめるのだ。何か軽んじられているようで、それが志津代の心にひっかかるのだ。

「なるほど。では、あそこの二番目はどうだ？」

　順平は文治の名を言わずに、二番目と言った。跳ね返すように志津代は答えた。

「嫌い！　大嫌い！」

　言ったかと思うと、志津代の顔がみるみる赤くなった。順平は驚いて、その志津代をまじまじと見た。

「なんだ、お前はあの文治が好きなのか」

「嫌いだったら！　嫌いなの」

　更に頬が紅潮した。順平はにっこりと笑って、志津代の頭をなでた。そして腕を深く組むと、しみじみと言った。

「あいつのおやじは、只者ではなかった。ひょんなことから、お父っつぁんとは仲たがいのようになったが、死なれてみて、あの男の偉さがよくわかるようになった」

「……………」

「この頃お父っつぁんは、目まいがするようになって、本気でお前の婿さんは誰にしようかと、床の中で考えることがある。そんな時、山形屋の死んだおやじのような若者がいたらと、つくづく思うのだ。あんな男なら店を継いでくれなくてもいい。婿にさえなってくれればいいと思っている」

「そんなに偉い小父さんだったの？　文治さんのお父っつぁんって」

「うん、偉い男だった。男の中の男だった。そうか。あそこの文治か。それはありがたい。うん、ありがたい」

　順平は大きくうなずいた。志津代は、自分が文治を嫌いだと言ったのに、父親に心を見透かされているのが面映ゆかった。

　志津代は今高等科一年で、文治は高等科四年だ。文治は毎朝朝礼で号令をかけたり、袖に赤い腕章をつけて、校舎の見まわりなどをしたりする。そんな文治に廊下でばったり会ったりすると、志津代は思わずうつ向いてしまう。文治も視線を外(そ)らして、足早に過ぎ去ってしまう。時には遠くから志津代の姿を見かけただけで、くるりと踵(きびす)を返してどこかに姿を消してしまうことがある。志津代もまた、文治が店に入って来ると、奥に引っこんでしまうのだ。

「なあ、志津代」

ちょっと黙っていた順平が、さりげなく言った。

「去年の夏に、呉服物を売りに来た小父さんはどうだ?」

見守る順平に、志津代は答えた。

「どうしてだか、好きになれないの、あの小父さん」

戸籍謄本

「荒城の月」

荒城の月

一

「ごめん下さい」

つつましい声がして、キワが店に入って来た。茶色の角巻が、ほっそりしたキワの体を形よく包んでいる。

「ああ、いらっしゃい」

「いらっしゃいませ」

順平と志津代が同時に言った。三人の小僧は配達に出ている。大番頭は風邪をひいて昨日から休み、若い番頭は蔵に行っていて、店には珍しく順平と志津代の二人だけだった。正月も松の内が過ぎたが、学校は二十日過ぎまで冬休みである。珍しく客もなく静かな午後だった。

「まあどうぞ」

順平が帳場の前を離れて、自分で座布団をキワにすすめた。志津代は何となくはにかんで、雪ベラなどを並べ直している。キワは角巻を手ぎわよく畳んで、すすめられた座布団に腰を置いた。

「雪になるかと思ったら、降らずに何よりでしたな」

　と、順平は外を見た。

「ほんとうに……雪が降ると雪掻き（ゆきかき）が大変で……」

「そうですな、わたしの家も、山形屋さんも客商売ですからな。広々と雪を掻いておきませんとな」

「ええ、雪掻きは大変です」

　キワはちょっと店を見まわし、

「お内儀さんは？」

　と尋ねるともなく言った。

「あ、新太郎の世話でも焼いているんでしょう。それはそうと、何年になりますかね」

「は？」

「いや、長吉さんが亡くなってからですよ」

「はい、今年で八年目になります」

「八年目？　そうですか。そんなになったかなあ。昨日のことのように思っていたがねえ」

　キワは黙ってうなずいた。長吉が死んでから、順平がこんなに親しみをこめて長吉のことを口にしたことはなかった。キワは戸惑った視線を膝に落した。

「いや、長吉さんは偉い男だった。男らしい男だった。めったに会える男じゃない。……なぜかこの頃、長吉さんのことが思い出されてねえ」

順平の声にうるおいがあった。その声音に、キワは素直な気持で、

「ありがとうございます」

と頭を下げた。

「いやいや、山形屋さん、わしはつまらんことで長吉さんとの間に溝をつくってしまった。まさかあんなに早く死なれるとは思わなかったので、そのうちに元に戻るつもりだったが、人間仲違いをしたままになっちゃあならんもんだと、口惜しいやら、申し訳ないやら……」

順平の言葉が途切れた。

「まあもったいない。そう言っていただくと、あの人も草葉の陰でどんなに喜んでおりますやら」

語尾がふるえた。志津代が墨塗りの角盆にお茶を持って来た。ここカネナカでは、畳に腰をおろす客には、時折お茶の接待をする。

「ありがとう、志津代ちゃん。志津代ちゃんもめっきり大きくなったわね」

やさしいキワの言葉に、志津代はぺこりと頭を下げた。

「いや、なりばかり大きくて」

順平はそうは言ったが、満更でもなさそうに笑みを浮かべた。

志津代は少し離れた所で二人の話を聞いていた。と、不意に胸がどきりとした。

「それはそうと、山形屋さんの二番目は、今年学校を出るわけだね」

話が文治の上に及んだからだ。

「はい、お陰さんで」

「よく出来るそうだね。上の学校にでも?」

問いかけると、キワは首を横にふって、

「わたくし共の家では、高等科を出すだけで精一杯ですから」

と答えた。一学級三十人ほどの中、高等科に進むのは三、四人ぐらいだった。あとはほとんど義務教育の尋常科四年を卒業して終わるのだ。それでも今年からは義務教育が四年制から六年制となり、高等科が四年制から二年制に変わるのだ。だが漁師たちは、

「童共(わらしども)に六年も勉強させるなんて、もったいねえ」

と、ぶつぶつ文句を言っていた。

順平が言った。

「じゃ、高等科を出たら、山形屋さんの手伝いをさせるわけかね」

「いえ、跡継ぎは恭一がしますので……文治はどこかに雇ってもらわなければ……」

「ほほう、それではどこかに勤めさせるわけかね。それは好都合だ。どうだね、お内儀さん、このカネナカに勤めてはもらえんものかね」

土間のストーブのまわりを掃いていた志津代は驚いて順平の顔を見た。年の暮に、蔵の中で順平は、どんな男が好きかと志津代に尋ねた。文治はどうかと聞かれた時に、

「嫌い！　大嫌い！」

と、跳ね返すように志津代は答えた。が、志津代の顔がみるみる赤くなるのを見た順平は、

「なんだ、お前はあの文治が好きなのか」

と、志津代の頭をなでた。そして死んだ長吉をほめ、「男の中の男だった」と言い、志津代が文治を好きなことを喜んでくれた。あれから二週間と経たぬ中に、順平はもう文治をこの家で働かせるつもりになっている。志津代はのどがからからに渇いた。

「まあ！　文治をカネナカさんに……」

キワも驚いた。順平は大きくうなずいて、

「そうお願いしたいもんだなあお内儀さん。わしも今年はもう四十六。五十を目の前にすると心細くなるんだねえ。ふっと、長吉さんそっくりの若者がいたら、志津代の婿になって欲しいと思うこともあってね」

暗に文治を志津代の婿にしたいと言っているような言い方だった。戸惑ったキワのまなざしに、順平は手を横にふって、

「いや、なに、お宅の文治君にこの店を手伝ってもらえたらと思ってね」

と、頼みこむように言った。

「もったいない話です。カネナカさん。文治がどんなつもりでいますやら、今夜にでも聞いてみたいと思いますが、本当にありがたいことで……」

キワは丹前と布団の生地を選んで帰って行った。

志津代はその日、怒ったように順平の顔を見ようとしなかった。

二

恭一も文治も哲三も食べ盛りだ。十八歳、十六歳、十三歳の息子たちが、今夕餉(ゆうげ)の卓についている。その三人をキワは頼母(たのも)しげに眺めながら、今日順平から言われた言葉を、いつ言い出そうかと思っていた。長吉が死んでから今日まで、数えきれぬほどカネナカの店に足を運んだが、今日のように順平と心の通う話をしたことはなかった。いつもせいぜい天気の挨拶やら、品物の説明を聞くだけで、言わば通り一遍の会話に過ぎなかった。いや、通り一遍と言うより、順平の心の底に、何かしこりがあるのをキワはいつも感じていた。そのしこりは、必ずしも悪意とは思われなかった。が、虚心になれぬ順平の心の様子が、キワにはわかるような気がした。どうしてそうなったか、長吉は詳しくは言わなかったが、親しく出入りしていたカネナカに、長吉の足がふっつりと向かなくなった頃、長吉が呟くように言ったことがある。

「な、キワ。カネナカはいい男だが、残念ながら俺とは生きる道がちがう。あれは親切な男だよ。実(じつ)のある男だよ。だが、それだけだ」

親切で実があれば、それ以上のことは望む必要がないではないかと、その時キワは思った。が、男はそれだけではならぬらしいことを、その後次第にキワは納得するようになった。多分順平も、心の中では長吉を許しているだろうと思い始めた頃に、長吉が死んだ。とにかく順平という人間は、非情な人間ではないと、キワは今日まで思ってきた。只、こだわりがそう早く消える性格ではないのだと、同情する思いさえキワにはあった。宿屋稼業で、キワも多くの人間を見て来ていた。

一見無愛想な男が、実は親切な人間であったり、威勢のいいことを言う男が意気地なしであったり、客たちは様々な姿をキワに見せた。常連の客の中にも、長い年月少しも変らぬ人間と、来る度に機嫌のよしあしが極端にちがう人間もいた。人を一概に、どんな性格だと言い切ることは、キワには不遜に思われた。キワは、人間というものは、それぞれに苦労して生きていると思うようになった。嘘をいうのも、威張るのも、人を裏切るのも、自分の身を守る弱さから生まれるものだと、同情出来るようにもなった。

長吉と順平の間に溝が出来たことも、事情はよくわからないながら、キワはそれは仕方のないことだと思ってきた。長吉ほどの人間と、順平ほどの人間が仲違いをする。それは考えられないことだった。考えられないだけに、それは男同士でなければわからぬ世界なのだと思ってきた。キワは人をあたたかく見守る優しさを備えて生まれてきた女であった。

「文治」

ためらい勝ちに、キワは文治の名を呼んだ。タコの刺身に箸を伸ばした文治が、キワを見た。石油ランプの灯に、文治の影が黒く畳に動いた。

「なんだい、母さん?」

「お前も三月で卒業だね」

文治は卒業後何をすると、まだはっきりは決めていなかった。旭川(あさひかわ)に出て、大きな商店に住みこもうかと言ったこともある。苫幌の役場の給仕になろうかと呟いたこともある。が、文治は文治なりに、進みたい道があるらしく、このところ浮かぬ顔をしていた。幸い稼業が宿屋で、忙しい時には近所の娘を手伝いに頼まねばならぬことさえある。文治が家にいたからとて、身を持て余すことはない筈だった。

「うん、そのあとのことかい」

「そりゃそうだろう? ね、母さん」

キワが答える前に、恭一が言った。

「別に急ぎはしないけどね。やっぱりそろそろ進む道を決めておかなければね」

キワは哲三の差し出した茶碗に、飯を盛りながら言った。

「それなんだよなあ。先生からも言われた。だけどさ、俺、自分の進む道って、よくわからないんだよな」

「わからんことはないだろう。将来何になりたいぐらい、もう考えているだろう」

恭一の言葉に文治は黙った。文治は出来たら勉学したかった。勉学は学校に行かなくても出来るかも知れない。この苫幌から進学する者は三年間に一人いるかいないかであった。高等科を出してもらっただけで、幸せだと思わなければならなかった。それはよくわかるのだ。女手一人の所帯で、この上町の学校に出すことがどんなに大変なことか、文治はよくわかっている。だから文治は、学校に行きたいそぶりは見せない。只、教室にいて勉強している時、どうしてこんなに学ぶことが楽しいのだろうと、辛くなることがある。中等学校、大学へと進む人間たちは、もっともっとむずかしい学問をしていくのだ。それはどんなに生甲斐のある生活だろうと思う。しかしそのことはふっつりと諦めているから、文治は独学出来る仕事を考えているのだ。高等科を出て、代用教員になる道もある。が、文治は教えるのではなく学びたいのだ。町の大きな商店に住みこめば、住居と食物は保証されるかも知れない。だが、朝早くから夜遅くまで、こま鼠のように働かねばならない。住みこみでは、おそらく勉強する暇はないだろう。医者の書生にでも住みこませてもらえば、勉強することは出来るとして、それは医学の道と決まってしまう。文治は医者になりたいとは思ってはいない。いや、医者だけではない。本当に何になりたいのか、見当がつかないのだ。勉強したいと言っても、今の文治にとって学問とは数学、国語、歴史、地理等の教科を指していた。文治は真実途方にくれていた。曠野に立たされているようで、どちらに進めば、自分が本当に進むべき道となるのか、わからないのだ。

「なんだ。何を黙っているんだ」

恭一が文治の顔をのぞきこんだ。

「恭一、文治だって、考えているんだよ。ねえ文治」

キワが優しく言うと、文治は自分の方針を立てていないことにかえって責任を感じた。

「考えているったって、母さん。もう卒業は目の前に来てるんだよ。たいていはそれぞれ行く所が決まったっていうのに、文治だけだよ。こんな小さな村じゃ、何になりたいも何もない。考える余地なんかあるものか」

黙々と二杯目を食べていた哲三が、ひょいと顔を上げて言った。

「こんな小さな村っていうけど、広い東京に行ったっていいんだよね、母さん」

「東京? 誰も知らない東京に、どうやって行くんだ。東京は広いんだぞ。苫幌とはちがうんだぞ。生き馬の目を抜く所だってさ。恐ろしい所だぞ、哲三」

恭一は手を横にふった。文治は、なるほど東京という広い所に出て行ってもいいのだと思った。そこではまちがいなく学ぶ道が備えられているような気がした。と、キワが言った。

「実はね……別に気にしなくてもいいんだけど、今日カネナカさんに行ったらね、文治をカネナカで働かせないかってね、旦那さんが言っていたよ」

「なんだって!?」

　びっくりするほど大きな恭一の声だった。当の文治は只まばたきをした。哲三は聞こえたのか聞こえなかったのか、干鰈（ほしがれい）を突ついている。恭一が咳きこんで言った。

「文治をカネナカで働かせないかって!?　それ、本当にあそこの大将が言ったの?」

「本当だよ。誰が嘘を言うものかい」

「ふーん、カネナカの大将が文治をなあ」

　恭一は箸を置いて腕を組んだ。そしてじっと文治を見つめながら、

「どうする文治」

　と、詰問するように言った。

「どうするって……俺、カネナカなんかに奉公には行かないよ」

　一瞬の中に、文治は志津代の顔を思い浮かべた。志津代と同じ屋根の下に住む、そう思っただけで胸のあたりが妙に甘苦しかった。

「なんだ、断るのか」

　恭一は再び箸を持った。キワはそっとうなずいた。

「うん、行く気はない」

再びはっきりと文治は答えた、はっきり答えねば、どこかで気持が変りそうな不安があった。

「母さん、これどういうことだろう。あそこの大将と、うちのおやじとは仲違いしたって、いつか風呂屋の小母さんから聞いたよ。あそこの小僧なんか、俺たちを妙な目で見てたことがあるよ。なあ文治」

「そうかな」

文治は気づかぬふりをした。

「とにかく文治に勤めろというのは、一体どんな魂胆なんだろうな」

「魂胆も何もね、あそこの旦那さんは、そんな底意地の悪い人ではないよ。昔、父さんと親しかった人だから、それなりに文治のことも心にかけてくれたのではないかしら」

おだやかな表情だった。

「ふーん、そうかな。文治が勉強よく出来るから、評判を聞いたのかな。そうか、それなら話は別だ。どうだ文治、お前カネナカに勤めてみないか」

文治は恭一を見、キワを見てから頭を横にふった。

「いやだよ、俺」

「どうしていやなんだ。カネナカはこの苫幌一の金持だぜ。給金もいいっていうじゃないか。

食事もうまい物が出るっていうことだし、俺なら行くな」

　恭一がにやりとした。

「じゃ、恭一兄ちゃんが行けば?」

　哲三が、やや投げやりに言った。

「長男でなければな、俺喜んで行くよ。だけどカネナカで言ってきたのは文治だからな。ね、母さん、俺あそこの大将、文治を只の奉公人にするつもりじゃないと思うんだけどな」

「只の奉公人にするつもりはないって?」

　キワが問い返す。恭一が再びにやりと笑って声をひそめた。

「うん、つまりね、あの大将、婿選びを始めたんじゃないのかな。何でも志津代が跡取りになるそうだから、もしかしたら文治お前、大将の眼鏡に叶ったんじゃないのか。ね、母さん」

「まさか……」

　キワは順平の言ったことを思い出しながら言葉を濁した。順平は今日確かに言ったのだ。

「わしも今年はもう四十六。五十を目の前にすると、心細くなるんだねえ。ふっと、長吉さんとそっくりの若者がいたら、志津代の婿にと思うこともあってねえ」

　文治を婿にとは言わなかったが、長吉さんそっくりの若者がいたらという言葉は、聞き流し得る言葉ではなかった。恭一はさすがに察しが早いと思いながら、しかし順平の言葉をキワは口には出さなかった。

「おい、文治、贅沢言わんで、カネナカに勤めれよ。うまくいくと、あの志津代の婿になれるんだぞ。あれほどの器量よしは、留萌(るもい)にだって羽幌(はぼろ)にだっていやしない。その上、あの全財産が志津代と一緒にお前の手にころがりこむかも知れないんだ。こんないい話はどこにもないよ。ね、母さん」

キワは答えなかった。文治は、

「俺、カネナカの婿になんか……なりたくない。第一さ、人の儲けた金なんか、俺、もらうのはごめんだな」

「ふーん、しかしだな、金は、あっても邪魔にはならんぞ」

「そうかな。金って意外に邪魔なものかも知れんと思うよ」

きっぱりと文治は言った。キワはちょっと目を瞠(みは)った。長吉が似たことを言ったことがある。

「西郷隆盛という男は、子孫のために美田を買わず、と言ったが、あれは卓見だな。金や財産は人間を育てない。いや、育てる邪魔をするかも知れない」

「育てる邪魔?」

不審げに呟くキワに、

「人間、金持の家に育つより、少し貧しいぐらいの家に育つほうが、幸いなものだ」

　そのことを今キワは思い出した。

「ほう、金が邪魔になるか。なるほどな」

　恭一も真顔になった。

「それにね、兄さん、万一カネナカで婿に来てくれと言って、俺が婿になるとしてもだよ。あそこの家でやることは、言ってみれば金儲けだけだろう。いつか母さんが言ったよね。俺たちの父さんは、人間金儲けぐらいが目的で生きちゃいけないって。いつもそう言っていたって。あの言葉、俺、時々思うんだ。金持の家に婿に行って、金儲けして、それで一生終わったら、父さんに笑われるよ、俺」

　キワは驚いて文治をつくづくと見た。いつの間に文治はこんな考え方をするようになったのだろう。ほんの子供だと思っていた文治が、長吉と同じようなことを今ここで言っている。正しく長吉の子供なのだと、キワは不意に胸が熱くなった。哲三がいかにも残念そうに言った。

「金はどうでもいいけどさ、あの志津代ちゃんの婿さんを諦めるのは、残念だよなあ」

　思わずみんなが笑った。

三

三月三日の雛祭りが近づいて来た。学校では雛祭りに学芸会をする。女の子の祭りの日だが、生徒数が少ないので男子も出演する。そしてその学芸会は、三月に巣立って行く卒業生への送別の宴ともなる。この日を生徒たちはむろんのこと、村の人たちも楽しみにしていた。村には小さな芝居小屋があって、月に一度か二度、旅芸人がまわって来る。その時には、三味線ではやしながら、芝居の一座の名を染めた幟(のぼ)りが村中を練り歩く。男の子たちは、争ってその幟りを担ぐのだ。幟りを担ぐと芝居を只で見られるのだ。さして娯楽のない村人には、学芸会は大いに待たれる年中行事の一つであった。

高等科の一年の女生徒は、志津代と医師の娘の八重の只二人であった。二人は学芸会に「荒城の月」を踊ることになっている。「荒城の月」を作曲した滝廉太郎は、これを発表した明治三十六年に、二十五歳で死んだと志津代は教師から聞いた。「箱根八里」も「お正月」も「鳩ぽっぽ」も「すずめ　雀」も、滝廉太郎の作曲だと聞いた。なぜか志津代は、「荒城の月」の曲を聞くと文治が思われてならない。文治が作った曲のような気がしてならない。文治が以前に、学芸会で、「荒城の月」を独唱したことがあるからかも知れない。その文治の歌

を聞いた時、志津代は思わず涙をこぼした。それが文治への憧れの初めであった。だから今度の雛祭りに、受持の教師が、

「志津代、八重、二人で何か踊りを踊ってみれ」

と言った時、志津代はためらわずに、「荒城の月」を踊りたいと答えた。八重も異存はなかった。かつて文治が歌った「荒城の月」を踊るだけで、志津代は満足だった。

踊りの練習は学校で只一人の女の先生が見てくれた。校長の妻が裁縫を教えていて、学芸会の遊戯も指導してくれることになった。が、この校長の妻には踊りの才がなかった。ふりつけが盆踊りのようになる。むしろ志津代に天性の才があった。志津代は留萌の小学校で一度学芸会を見たことがある。その時の「美しき天然」の遊戯のふりつけをもとにして、志津代がふりつけを考えた。

「うまいもんだねえ」

校長の妻は感心して、ほとんど踊りには口を出さなかった。八重の体もしなやかだった。二人は毎日うす暗くなるまで練習した。

「確か山形屋の文治さんが『荒城の月』の独唱をしたことがあったよね」

と校長夫人が言ったのは練習を始めて三日目頃のことだった。

「あるある、文治さん上手に歌ったわ」

八重は無邪気に言ったが、志津代は忘れた顔をしていた。が、内心どきりとした。ひどく恥ずかしいような気がした。今度の学芸会で「荒城の月」を踊る自分を見て、文治は一体どう思うだろうかと思う。とにかく文治に笑われるような舞踊にはしたくないと思った。自然熱が入って、

「くたびれた、もう帰ろうよ」

と、八重が音(ね)を上げても、

「八重ちゃん先に帰んなさい」

と言って、志津代は一人練習をつづけた。

今日も志津代は八重に一足遅れて学校を出ようとした。と、校長がうしろから声をかけた。

「今帰るのかい、志津代ちゃん。精が出るねえ」

志津代ははにかんで、

「さようなら」

と、頭を下げた。縞のモンペを穿(は)き、草色のマントを着ている。深々と頭を下げた志津代に校長は言った。

「ちょっとふぶいてきたな。誰かに送ってもらうといい」

そう言った時、ちょうど文治が玄関にやって来た。

文治は志津代を見て、はっと表情を固くした。校長はそれに気づかず、

「おお文治か、ちょうどよかった。ふぶいてきたから、志津代をちょっと送ってってやれ」

「はい」

反射的に文治は答えた。学校の教師に何か命ぜられて、「いや」と答える生徒はいない。ましてや相手は校長だった。いいも悪いもない。即座に「はい」と答えねばならぬのだ。

「いいです。わたし一人で帰ります」

志津代が駆け出した。

「文治、送ってやれ」

再び校長が命じた。

「はい、送ります。さようなら」

丁寧に一礼して、文治も玄関を飛び出した。

志津代は無我夢中で駆けた。まるで追われているかのように必死だった。うす暗くなった雪道を一目散に走る。時折激しく吹きつける吹雪に息がとまりそうになる。

(送ってなんかいらない、送ってなんかいらない)

志津代は叫びたい思いだった。文治がカネナカに勤めるのを断ったと順平は言っていた。

「商人には向かんのだそうだ。惜しい若者だが」

順平は慰めるように言った。志津代はその順平の顔を見ずに答えた。

「お父っつぁん、わたし、文治さん嫌いなの。大っ嫌いなの。うちになんか来てくれなくていいわ」

しかし順平は、繰り返し残念がっていた。それ以来志津代は、文治のことを本気で思うようになった。未だかつて、志津代は人に拒まれたことはなかった。村人たちも子供たちも、志津代を見ると近寄って来た。が、文治だけはそうではなかった。文治から親しく声をかけられたことは只の一度もない。その文治に、医者の娘の八重がいつもまつわりついている。店にも、文治について時々来る。学校の運動場でも、八重は文治の姿を見るとすぐに駆け出して行く。八重の父が営む小さな医院は、山形屋の二軒置いて隣にあった。八重は笑顔の絶えない明るい子供だった。

「わたし、文治さんのお嫁さんになりたい」

もう二年も前のことだが、八重がそう言ったことがある。その言葉を志津代は忘れてはいない。

鈴を鳴らして向こうから馬橇（ばそり）がやって来た。馬橇（ばそり）が一台通れるだけの細い道だ。志津代はあら雪の中に踏みこんで馬橇（ばそり）の過ぎるのを待った。ふり返ると文治がすぐそこまで駆けて来ている。右に左に大きく橇（そり）が揺れながら馬が過ぎると、再び志津代は駆け出した。と、今過ぎたばかりの馬の蹄(ひづめ)の跡に藁靴(わらぐつ)がひっかかって、志津代はばったりと前に倒れた。したたか胸を打った。起きようとしたがすぐには起き上がれない。志津代は倒れたまま肩で息をついた。

すぐあとを追って来た文治は、不意に倒れた志津代を見て、思わず傍に駆け寄った。が、体は金しばりに会ったように動かない。抱き起そうと思うのだが、手が出ない。これが八重ならば何の雑作もなく抱きかかえることが出来るのだ。だが志津代はちがう。志津代を見ると、それが志津代の店であれ、学校であれ、浜であれ、文治の動きは鈍くなってしまうのだ。

この正月、志津代の父親から、カネナカに勤めるようにと話があった時、言下に文治は断った。それも一つの文治の心の動きの表れであった。本当は心の底で、志津代の傍にいたいと思っている。顔を正視出来ないほど眩しい存在なのだ。本当はその眩しい顔を、文治は近々と見つめたがっている。その自分を文治は誰よりもよく知っていた。その点文治と兄の恭一とはちがっていた。恭一はおおっぴらに志津代の婿になりたいと言う。長男でなければ婿になるのにと言う。海で泳いでいる志津代を抱き上げて、大声で笑うことが出来る。文治には真似の出来ないことだった。文治は「志津代」という名を口にすることすら出来ない。まるで禁句であるかのように、「志津代」の名はめったに文治の口からは出ない。

志津代と八重が、今度の学芸会で「荒城の月」を踊ることは誰もが知っていた。二人が教室で練習しているのを、高等科の男子たちは時折のぞきに行っている。が、文治にはそれも出来ない。志津代が、かつて自分が独唱した「荒城の月」を踊ると聞いただけで、言いようのない喜びを覚えていた。もしかしたら志津代は、心の底で自分を好いていてくれるのではないかと、ひそかに思ったりする。しかしまた、そんなことはあり得ないと、すぐに打ち消す。近頃では、志津代の店に勤めることにすべきではなかったかと、幾度も悔やむことがある。志津代の家に住みこめば、あるいは恭一のように婿になる可能性は大きくなるかも知れない。そんな文治に、校長はこともなげに、

「志津代を送っていけ」

と命じたのだ。志津代は一人で帰ると言って飛び出した。文治は追いつかぬ程度に志津代を追った。必死になって駆けて行く志津代を、幾度抱きとめたいと思ったろう。追いかけながら文治は幸せだった。いつまでもいつまでも追っていたいと思った。鬼ごっこをするような楽しさだった。必死になって駆ける志津代が可憐だった。文治には校長が言い難くありがたい人に思われた。その矢先、志津代が道に倒れた。志津代の肩が喘いでいた。それを見おろす文治の肩も喘いでいた。一瞬、吹雪が二人の姿を隠した。吹雪が去った。文治はまだ突っ立ったままだった。

湯けむり

湯けむり

一

五月も末の暖い静かな夜だ。もんわりと空気がよどんでいるような夜だ。今、ふじ乃と志津代は一緒に風呂に入っていた。分厚い桂の板で造られた浴槽は、二人が一緒に入っても、まだゆとりがある。ふじ乃たちの前に、順平、番頭、小僧たちが入っていた。通いのミネは、店をしまうとすぐに帰って行ったし、住みこみのサイも、今日は月に一度の頼母子講で、山の手の畳屋に出かけていた。

「今日は鰊ぐもりだったたね、おっかさん」

石油ランプにまつわる湯気を見つめながら、志津代が言った。いつかこのような曇った暖い日を、鰊ぐもりだとふじ乃から教えられたことがあった。

「鰊ぐもり？　もう鰊が終わったからねえ」

ふじ乃の笑顔は美しい。

「なあんだ、鰊が終わったら、鰊ぐもりじゃないの？」

志津代は立ち上がって湯ぶねを出ようとした。胸が小さくふくらみかけている。ふじ乃がその乳房に目をとめて、ちょっと何かを考えていたが、自分も湯ぶねから出ると、志津代の背を流し始めた。

「少しふとったようだね」

「ふとった？　いやだわ」

「いやなことはないよ。女の子は肉づきのよいほうが好かれるんだよ」

「好かれる？……」

「そう。男の人にね」

ふじ乃は湯ぶねから湯を汲みながら言った。

「男の人なんか……」

「嫌いかい？」

ふじ乃の口もとに再び微笑が浮かんだ。志津代は大きくうなずいた。もう三ヵ月ほど前になる。三月三日の学芸会の練習があって、帰ろうとしたある日、校長が文治に、志津代を家まで送っていくようにと命じた。あとで考えると、なぜあんなに走らねばならなかったか、志津代自身も不思議なのだが、あの時志津代は、鬼にでも追われるように、無我夢中で走ったものだ。そして雪道にばったりと倒れた。その志津代を抱き起そうか、起すまいかと、ためらっていた文治の姿を志津代は知らない。が、結局は、志津代は文治に抱き起されて、足を引き引き家まで送ってもらったのだった。倒れた時は、胸を強く打ったと思ったが、膝も強く打っていて、次の日学校に行く時も、少し足を引くほどだった。抱きかかえられるようにして、家まで送られる途中、志津代はひとことも口を利かなかった。文治も黙っていた。坂道を降りて、蔵の傍まで来た時、

「痛いかい？」

文治が言った。志津代は黙ったまま首を横にふった。

「ごめんな」

文治はそう言うと、今来た坂道を駆け登って行った。志津代はそのうしろ姿をじっと見送った。吹雪の中にかき消えるように文治の姿が消えた時、志津代はなぜか、ひどく淋しかった。それでいて、寝るまで文治のことばかり考えていた。そしてその感情は、淋しいというより、楽しいという感情に変わっていた。

文治は総代で卒業した。総代といっても、卒業生は僅か五人である。文治はよく透る声で答辞を読んだ。その答辞の中で文治は言った。

「在校生の皆さん、皆さんもどうか体を大切にして、仲よく勉強して下さい。僕たちは、皆さんが仲よくして下さることを一番望んでいるのです。素直に、明るく、毎日を過ごして下さい……」

志津代はその言葉を、自分に向けられたように思って聞いた。毎年の卒業生が似たことを言う。決して特別の言葉ではないのに、今年はなぜか、志津代自身に向けられた言葉のように思われてならなかった。

今、ふじ乃が、「男の人」と言った時、志津代はすぐに文治の顔を思い起こした。順平や小僧たちや、同級生の男子の顔ではなく、文治只一人を思い出したのだ。男の人は嫌いかと尋ねられて、志津代は返事に窮した。嫌いだと言いたかった。だが志津代は、自分は確かに文治を好きだと思う。文治が卒業してからは、文治たちの教室の前を通るのも張り合いがなかった。文治がいた時は、その教室の前を、うつ向いて足早に過ぎたものだ。体がこわばっていたものだ。そんな緊張感が今は失われている。立ちどまって、教室の中をのぞくことさえある。文治のいなくなった教室は、志津代には空き部屋同様であった。学校の帰りに、山形屋旅館の傍を通ることがある。道が二つあって、どちらの道を通ってもいいのだ。医師の娘の八重と帰る時は、山形屋の前を通る。八重の家が山形屋の二軒置いて隣だからだ。山形屋の前を通っても、文治を見かけるとは限らない。が、時には竹箒で外を掃いている姿を見かけたり、旅の馬に水をやっていたりする。そんな時、志津代は顔がほてる。逃げ出したくなる。その反対に立ちどまりたい思いもする。文治もこわばった顔をする。怒っているようにさえ見える。それでも志津代は満足だった。

八重は志津代とはちがう。大きな声で「文治さーん」と呼ぶ。「あ、文治さんだ」と、志津代を置き去りにして駆けて行くこともある。文治も八重には笑顔を向ける。志津代は羨ましい気がする。自分も八重のように、文治の名を呼べたらと思う。しかしそれが出来ない。

　黙っている志津代に、ふじ乃が別のことを言った。

「さ、今度はおっかさんの背中を流してね」

　志津代はうなずいて、ふじ乃のうしろにまわった。ふじ乃の肌は白い。中に灯りが点(とも)っているように、ぽおっと明るい。しかも、肌ざわりが絹じゅすのようにすべすべだ。どうしてこんなに白くてすべすべした肌なのかと、不思議に思うほどだ。お湯をかけても肌がぬれない。志津代は日本手拭いをきりっと絞って、肉づきのよい母の背をこすり始める。

「ねえ、志津代。志津代はね、自分のお腹(なか)の中に何があるか、知っている？」

「お腹の中？」

「そう」

「心臓や肺は胸でしょ？　胃とか、腸とかはお腹だよね、おっかさん」

「あのね、志津代。女のお腹にはね、男の人にはない大事なものがあるんだよ」

「ふーん。男の人にないの？」

「そう」

「それ、なあに？　何て言うの？」

「あのね、赤ちゃんの育つところ」

「ふーん、赤ちゃんの育つところ？」

「そう。おっかさんのお腹も、新太郎がお腹にいた時は大きかったろう？」

「うん、大きかった。そうか、赤ちゃんは胃袋や腸の中にいたんじゃないんだね」

志津代の言葉にふじ乃は思わず笑って、

「赤ちゃんが胃袋にいたり、腸にいたりしたら、食べたものが詰まっちゃうじゃないか」

「ほんとだね」

「志津代、志津代もね、だんだん体が大人になってきているからね、きっと今年中に、大人になったしるしがあると思うよ」

志津代はふじ乃の声の調子に、いつもとはどこかちがった感じを受けた。声のどこかにいたわりがある。遠慮みたいなものがある。何気なさそうに言っていて、まじめな声音だ。

「おっかさん、大人のしるしって、なあに？」

「それはねえ……」

ふじ乃はちょっと言いよどんだ。志津代はふじ乃の背に湯をかけて言った。湯が弾(はじ)けた。

「洗ったよ、おっかさん」

「ありがと。じゃ、もう一度入ろうか」

ふじ乃は先に立って湯ぶねに入った。その隣に、志津代も体を沈めた。窓の外がほのかに明るい。志津代はふっと、いつかの泥棒を思い出した。確かにあの夜も、今夜のように外がほのかに明るかったと思う。

「あのね、志津代。女が大人になったしるしはね、神さまが教えてくれるの。いつ、赤ん坊がお腹に入ってもいいほどに、体が大人になったらね、毎月、血が流れ出るのよ」

ふじ乃は一気に言って、ふっと吐息を洩（も）らした。

「血？　血が出るの？　どこから？」

「…………」

「ね、どこから？」

血と聞いて、志津代は咳きこんで尋ねた。

「赤ちゃんの生まれるところからだよ」

「赤ちゃんの生まれるところって？……おへそ？」

志津代は腹が割れて赤ん坊が生まれると思っている。

「ちがうよ」

ふじ乃は手拭いで肩のあたりをゆっくりとなでてから言った。

「あのね、志津代。人間の体には幾つも穴があるだろう?」

「うん、鼻の穴や耳の穴?」

「そう。おしっこの出口やうんちの出口もそのひとつだよ」

「ふーん」

「そのおしっこの出口とうんちの出口のまん中に、赤ちゃんの出口があるの」

「へえー!? 赤ちゃん、お腹から生まれるんでないの? 知らんかった」

志津代は大きな声を上げて湯ぶねの中に立ち、再び、

「知らんかった」

と言って、肩まで沈んだ。

「そう。誰でも子供の時は知らないの。おっかさんもね、なんにも知らなかった。とにかくね、女は大人になったら、赤ちゃんの出口から血が出るものなの」

「ふーん、血が出たら痛いの?」

「痛くはないよ。でも、お腹の痛くなる人もいる。腰の痛くなる人もいる。でも、みんな我慢しているの」

「そう、我慢してるの。どのくらい出るの? 鼻血ぐらい?」

「ううん、もっともっとどっさり出るの。四日も五日も一週間も出るの」

「そんなに毎日？　いやだなあ、大人になるの」

「仕方がないよ。そんなふうに神さまが女の体をつくってくれたんだから。おっかさんも毎月……」

「ふーん、したら、おっかさんも、サイ小母さんもおミネさんも？」

「そうだよ」

「したら、お風呂屋の小母さんも、校長先生の奥さんも？」

「そう、女は一人残らず」

「一人残らず？」

「そう、一人残らず。だからね、その時はおっかさんに知らせてね。大人になったお祝いにお赤飯を炊くからね」

　志津代は大きくうなずいた。自分の知る限りの大人の女たちは、みんな月に一度は幾日も血が下るという。誰もがそんな体につくられているという。同じ屋根の下にいながら、志津代はミネやサイのそんな辛さを知らずにきた。女が大人になることは大変なことだと志津代は思った。今初めて知ったその事実に、志津代は何かは知らぬが身の引きしまる思いがした。大きな驚きでもあり、深い感動でもあった。志津代は黙った。ふじ乃も黙った。志津代は、今夜のことを自分は一生忘れないだろうと思った。

「ね、おっかさん」

言いかけた時、新太郎の泣き声が聞こえた。

「おや、目をさましたのかね」

新太郎は茶の間に寝かせてある。サイは頼母子講に行ったが、順平は傍にいる筈だ。それでも新太郎の泣き声を聞いて、ふじ乃はあわてて湯ぶねを出た。志津代もつづいて風呂から上がった。脱衣場への戸をあけると、新太郎の声が大きく聞こえた。竹で編んだ大きな脱衣籠に、二人の着物が入っていた。あわてたふじ乃が志津代の着物を手に取って、思わず笑った。

「お父っつぁんが傍にいるから、何もあわてることはないのにねえ」

「そうよ。おっかさん、ゆっくりするといいわ」

言いながら、それでも二人は急いで着物を着た。ふじ乃は伊達巻だけをしめ、帯は持ったままだった。脱衣場から一旦(いったん)土間に出る。そしてすぐ向かいの台所に入る。台所のひと間置いて隣が茶の間だ。ふじ乃は筧(かけひ)の水を柄杓に受けて、そのままごくりと水を飲み、志津代に差し出した。志津代はその残りの水を飲み干した。その間も新太郎の泣き声は大きくなるばかりだ。

「どうしたんだろうね。お父っつぁんはいないのかねえ」

ふじ乃はもどかしげに茶の間の襖をあけた。と、思わずふじ乃は立ちどまった。ストーブを取り外した炉の向こうに、新太郎が布団から体を半分這いずり出して泣いている。ところが順平はこちらに背を向けて、炉端に黙然とあぐらをかき、うつむいている。

「どうしたの、あんた！」

ふじ乃は順平が体でも悪いのかと思って叫んだ。

「なんだい、今上がったのかい」

ふり返った順平の顔は、ふだんの顔だった。ほっとしたふじ乃は新太郎の傍に駆け寄って膝に抱き上げ、

「こんなに泣いているのに、どうして抱いてくれないの」

と、順平を詰(なじ)った。

「どうしてって、この子はどうせわしが抱いたんじゃ泣きやまない。お前じゃないと泣きやまんのだよ」

順平はおだやかに答えた。志津代はふじ乃の傍に寄りそって新太郎の頭をなでながら、何となく順平の言葉に奇妙なものを感じた。

「泣きやむも泣きやまないもないじゃないか。第一、あんたは人前でなけりゃこの子を抱いたことがないじゃないか」

母の言うとおりだと志津代は思った。人がいるところでは、順平は新太郎を抱くこともある。が、夜は全くと言ってよいほどに新太郎を抱かなかった。父親というものは、赤ん坊を抱かないものかとさえ、志津代は思ってきた。が、自分は小さい時から父の膝に抱かれてきたような気がする。どうもそのあたりが志津代にもわからないのだ。

「ふじ乃、どこのおやじだって、子供をいつも膝にのせてはいないよ。男のごつい手で、下手に抱いちゃあ、小っちゃな手足や首の骨がどうかしないかと心配だ」

「………」

「赤ん坊はやっぱり、女親の膝の上が一番さ。女の体は柔らかい。抱かれ心地がちがうんだよ」

なるほどと志津代は思った。だがふじ乃は固い横顔を見せて黙っている。

「何も怒ることはないじゃないか。赤ん坊は泣くのが商売だ。泣く度に抱かれちゃ、かえって迷惑かも知れん」

「………」

「うちは手があるからね、昼はタヨの背にくくりつけ、サイやミネが替わる替わるに抱きたがる。その上乳を飲む度にお前に抱かれる。少しぐらい泣かせておかなきゃあ、甘ったれな子が出来る。なあ、志津代」

志津代はうなずこうとしてふじ乃を見た。そしてはっとした。ふじ乃の目にきらりと光るものを見たからだ。

「何も怒ることはない」

「………」

「ふじ乃」

不意に順平の声がきびしくなった。順平は滅多にこんな声を出さない。志津代が体を固くした時、順平が言った。

「怒りたいのは俺のほうだ」

強い語調だった。と、ふじ乃が新太郎を抱いたまま、すっと立ち上がった。そしてそのまま寝室に入って行った。

志津代はおろおろとした。順平は火箸で炉の灰に穴を幾つもあけていた。

その夜半だった。志津代の部屋に順平が入って来た。

「志津代、志津代」

寝ている志津代の肩をゆすって、

「おっかさんが来なかったか」

と尋ねた。

「おっかさん?」

「うん。……そうか、どこに行ったんだ、ふじ乃は」

順平は部屋を出て行った。やがて家の中が騒がしくなった。サイと小僧たちが順平に起こされたのだ。

小僧やサイたちが、家を飛び出して行く気配がした。恐らく、すぐ近くに住む番頭の家にも誰かが走ったにちがいない。志津代は布団の中でがたがたとふるえていた。

(おっかさんがいない！)

自分も起きなければならないと思うのに、なぜか起きてはいけないような気がした。起きて探しに行かなければならないと思うのに、体がすくんでいた。

ふじ乃はその夜帰っては来なかった。

二

文治は台所で食器棚の整理をしていた。その傍らで恭一が会席膳を拭いている。二、三日中に札幌から学校視察の官員がやって来るという。会席膳はその客たちのためのものだ。キワの、はたきをかける音が、客間のほうから聞こえてくる。客を送り出した朝のひと時は、体は忙しいが気分はのんびりしている。

「薪を割って、風呂を掃除して、膳を拭いて……こんなことを繰り返して、一生を終わるのか」

恭一が手を休めずに言う。

「兄さん、何も、長男だからって、この宿を継ぐことはないって、言ってたじゃないか、母さんが」

文治は慰めるように言う。

「子供だなあ、文治。母さんはな、あんな人だから、決して縛りつけるようなことは言わないさ。だけど、心の中じゃあ、やっぱり俺に跡を継いで欲しいと思ってるのさ」

「そうかなあ。俺は母さんって、心にもないことを言う人だとは思わんな」

「俺だって、心にもないことを言う母さんだとは思わんよ。むろん俺がこの仕事を継がないからといって、怒ったりはしないさ。だけど、この界隈一番の立派な風呂場を造ったのは、父さんだろ。その父さんの気持を、母さんは大事にしていると俺は思うよ」

「なるほどな」

文治は窓を見た。風がいつもより強い。新緑の庭木がみな揺れている。昨日まで曇っていた空が真青だ。初夏の空だと思いながら、文治は父親の長吉の顔を、その空にふっと思い描いた。胸がきゅんとしめつけられるような懐かしさだ。

「俺はおやじが好きだったからな。やっぱりこの山形屋を他人の手に渡す気にはならん」

「と言って、宿屋の亭主で終わる気もないんだろう」

「そこなんだよな。何となく胸がうずうずするんだよな。札幌か、出来たら東京に行って、何かやりたいんだよな」

「何かって、何さ?」

「うん、それが何かなんだ。お前は東京には行ってみたくはないか」

「俺?」

文治はちょっと首をかしげて、

「俺は勉強したいな。勉強さえ出来たら、東京でも、この苫幌でもいいんだ」

「勉強して何になるつもりだ? 先生か」

「いや、只勉強したいだけだ」

何になりたいと聞かれると、文治はいつも困る。何になるべきか、皆目見当がつかない。自分が何を出来る人間かわからない。

「なんだ。俺もお前も、大したことはないんだな。俺は只東京に出てみたいだけだし、お前は只勉強してみたいだけだ」

「そうだな……そうだ、兄さん東京へ行きたかったら行ったらいい。俺はその間、この宿屋をやってもいいよ」

「なるほど、そういうことも出来るわけだな」

「うん、俺は宿屋をしながら勉強する。兄さんは東京で、やりたいことを探したらいい」

「本当か文治」

恭一が真顔になった。膳を拭く手がとまった。

「本当だ。俺ね、宿屋って、そうつまらん仕事だとも思わないよ。疲れた旅人をさ、親切にしてやる。その人は、ああ楽しい旅だった、と思って帰って行く。これは、単に物を売ったりする商売より、俺に向くような気がするな」

「なるほど、そう言えばそうだな」

恭一は拭き終わった膳を片隅に重ねながらうなずく。

「それにね、いろいろな客に、様々な話を聞くだろう。世間が広くなるんじゃないか、宿屋の亭主って」

　文治は大人っぽい表情になった。

「そうか。何の仕事でもやるものの気構えによるな。わざわざ東京に出て行くこともないか」

　恭一は十八、文治は十六、共にまだ若かった。

　その時、玄関のほうで大きな声がした。郵便配達の声であった。

「馬の水かな？」

　言いながら恭一が出て行った。が、すぐに恭一が戻って来た。手に大きな小包を持っている。滅多に小包など来たことはない。馴染みの客から、土地の名物を送ってくることが、年に二、三度あるくらいだった。祖父母もキワも、肉親に縁がうすくて、ほとんど係累というものがなかった。

「誰から？」

　文治の声が高くなる。それには答えず、恭一が客間に向って、

「母さん、母さん、小包が来たよ」

　と叫んだ。

「誰から？　兄さん」

文治は再び尋ねた。

「当ててみろ」

言っているところにキワが入って来た。

「誰から？」

キワは前垂れで手を拭きながら同じことを言った。

「当ててごらん」

恭一は明らかに興奮していた。

「当ててごらんと言ったって……」

「兄さん、どこからさ？」

文治は戸棚を拭く手をすっかり休めていた。

「どこからだと思う？」

恭一の語調が熱していた。その声音に文治が言った。

「まさか東京からじゃないだろね」

「当った。東京の誰からだと思う？」

キワの目の色が動いた。東京に親戚や友人はいない。毎年まわってくる置薬屋は富山であり、呉服行商人の増野録郎は大阪人である。

「まさかとは思うけど……北上さんじゃないだろうね」

ためらいながら、キワが言った。

「当たった！　母さん、よくわかったね」

当てられて、恭一は驚きの声を上げた。東京からの小包と聞いて、キワは真っ先に北上宏明を思った。吹雪の幾日かをこの宿で過ごしたとはいえ、馴染みの客ではない。だが、キワの心に焼きついた北上という人間は、信頼出来る人間であった。もしこの世に、自分たち親子のことを心から思ってくれる人間がいるとすれば、それは北上しかいないような気がして時折恭一や文治と噂していたのだった。キワには、北上が夫の長吉と同質の人間に思われた。北上がこの宿に泊ってから、一年以上が過ぎている。あれ以来何の音沙汰もないことに、キワは裏切られたような気さえしていた。なぜかキワは、北上がすぐにも便りをくれるように思っていたのだ。北上は私生児となっている息子たち三人を庶子とするために、自分が認知してもいいと言っていたのだ。だから、帰ったら間もなく何か言って来るのではないかと、キワは心待ちにしていたのである。しかし、今年の年賀状にも北上の名はなかった。キワは、あれはやはり一時の心のうねりであったかと、北上からの手紙を、もはや待たなくなっていたのだ。その北上からの小包である。

恭一が鋏を持って来て荷を解き始めた。油紙の下から、新聞紙の包みが出て来た。恭一がその包みをキワの前に置いた。キワがそっと包みを開くと、浅草海苔、雷おこし、羊羹などと共に本が三冊出て来た。

「まあ」

キワが小さく声を上げ、恭一と文治が、

「ほう！」

と、大きく声をあげた。本は尾崎紅葉の「金色夜叉」、樋口一葉の「たけくらべ」、そして雑誌「少年世界」であった。恭一は「金色夜叉」を手に取り、文治は素早く「少年世界」を膝の上に置いた。

「あ、これ、手紙が入っている」

文治が北上の手紙をキワに手渡した。キワは自分宛の封筒を見、差出人の北上の名を確かめてから封を切った。心を鎮めるような静かな動作であった。

「拝啓

思わぬ長きご無沙汰平(ひら)に御許し下されたく候　その後御尊家御一統様には御変りもなく御過ごしにて御座候や、謹んで御伺い申し上げ候……」

読みやすくと配慮したのであろう。行書で、漢字の少ない手紙であった。北上の手紙には、キワたち一家を思いやる心が満ちあふれていた。あれ以来心にかけぬ日とてなかったが、思わぬ用事が次々とあって、気がついたら、早一年をとうに過ぎていたこと、確か今年は、文治が卒業の筈だが、就職先は無事決まったかどうか、案じていること、三人の兄弟が遅かれ早かれ就職、結婚に際し、どうしても戸籍に記された「私生児」の三文字が障りになること、この自分でよければ、いつでも三人を認知する手続きを取る用意があること、などが細やかに記されてあった。そして最後に追伸として、

「若し御子息の誰かに御上京の希望あらば御遠慮なく御申し越し下されたく候　小生出来得る限りのことは相努め申すべく存じ居り候　御夫君との奇しき出会いは、天の深き思し召しと存じ候故何事なりとも親しく御申し付け下されたく候」

と丁寧に書かれてあった。

「何て書いてあるの、母さん」

恭一と文治が異口同音に言った。キワは声を出して読み始めた。二人は一語も聞き洩らすまいと、身を乗り出して聞いた。キワが読み終わると、二人はほうっと吐息をついた。

「母さん、北上さんって、あの小父さん、不思議な人だね。どうしてこんなに親切にしてくれるんだろう」

キワは恭一の言葉に、

「本当にねえ、どうしてかしら」

と首をかしげたが、

「これが同志の情というのかしらね」

「同志って、自由民権運動家としてかい？　ヤソとしてかい？」

咳きこむように恭一が言う。

「運動家としてでしょう。父さんはヤソの話はしなかったから」

「やっぱりおやじは偉かったんだな。くだらん奴なら、こんなにまでしてくれるわけはないもんな。な、文治」

「うん、俺もそう思う」

と、大きくうなずき、

「やっぱり、父さんは監獄から脱走したのかな」

と、考えこむ顔になった。

「それはそうだろう。北上さんが俺と母さんに、脱走した時の様子を聞かせてくれたからな。だけど、これはここだけの話だぞ。まだ哲三には話してはならんぞ。あいつはまだ子供だからな」

哲三は十三歳だ。

「うん、わかってる。俺ね、兄さん、自由民権運動って勉強してみたいと思うんだ。俺、東京に行っていいかな」

「東京に？　そりゃあ、行きたきゃ行ってもいいけど、誰も知らないところに行って、淋しくなって帰ってさえ来なきゃ、ね、母さん」

「そうだね、父さんがいたら許してくれるかも知れないね。お前、北上さんのところに頼って行くつもりかい？」

「うん、今、手紙を聞いて、死んだ父さんをよく理解している人だと思ってさ。何だか死んだ父さんに会うみたいな気がして、急に行ってみたくなったんだ」

「文治、さっき俺に、東京に行ってもいいって言ったばかりだぞ。くるくるとよく変わるんだな」

キワが笑って、

「よく変わるのが若い者の心だよ。また変わるかも知れないよ。まあ急ぐことはない。ゆっくり考えるんだね」

と、キワはあくまで穏やかだった。

玄関の戸が、がらりとあいた。

「こんにちは、大変だよ、お内儀さん！」

呼ぶ声は風呂屋のお内儀ハツの声だった。キワは急いで廊下を小走りに出て行った。

「あら、いらっしゃい」

キワの挨拶には答えずに、

「あんた聞いた？　カネナカのお内儀さんが、昨夜、夜中から姿が見えないんだって」

「えっ!?　カネナカのお内儀さん？」

台所まで二人の声がひびいて来る。文治の胸がとどろいた。

「そうかい。じゃ、ここにも来ていないんだね」

がっかりしたようなハツの声に、何か答えるキワの声が低かった。

三

帳場兼茶の間の十畳間に、キワは風呂屋のお内儀森下ハツを招じ入れた。

「いつ来てもまあ、どこもかしこもぴかぴかにしているよ」

と、ハツは出された座布団にこんもりと盛り上がった膝を少し崩して坐り、

「わたしはねえ、カネナカのお内儀はまだこの苫幌にいると睨んでいるんだがね」

と、早速ふじ乃のことを話し始めた。文治も恭一も、帳場から聞こえてくるハツの大きな声に耳を傾けている。キワが何か言ったようだ。

「そうかい。ここは宿屋だから、真っ先に誰か様子を見に来たと思っていたがねえ。お寺から、畳屋から、山の手じゃみんな大騒ぎで、心当りを探しているんだよ。一体どこに行ったもんだか」

恭一と文治は顔を見合わせた。

「文治、どうしたんだろうな。夜中にいなくなったなんて」

膳を拭き終わった恭一が、今しがた解いた小包の油紙を、ていねいに畳みながら言った。

「うん、どうしたんだろうな」

　文治はハツのほうに聞き耳を立てながら短く答えた。確かに順平とふじ乃の年齢は開いていた。また、地味な順平には不似合なほど、ふじ乃は美しく華やかだった。自然に結ばれた関係とは、村人も見ていないようだった。芸者でもしていたのを落籍（ひ）かしたのではないかと言う者もい、いや、貧しく育ったふじ乃を、金の力でもらってきたのだと言う者もいた。何れにせよ、二人の結婚に金が働いていたと思う者が多かった。とはいえ、志津代を生んだふじ乃は、店にもよく顔を出し、人とのつきあいもおおらかで、評判のよいお内儀であった。二人の間に毛ほどの隙（すき）もないように、人には見えた。

「男と女には、年なんか関係ないよ。カネナカを見てごらん」

　そんな言葉を恭一も文治も聞いていた。文治は、心を痛めているにちがいない志津代のことを思いながら、少しひび割れたような、変にひびくハツの声に耳を傾けた。

「だけどさ、まさか、海に入ったわけじゃあるまいね」

「海に？」

　キワの声が少し高くなった。文治はどきりとした。ふじ乃が赤ん坊を抱いて、海に飛びこむ姿を、一瞬見たような気がした。

「そう。海にさ。あのお内儀さんのことだ。何せ思いっきりのよい人だからね。ぱっと飛びこんだかも知れないよ」

「………」

キワは首を横にふったのか、あるいはうなずいたのか、声はなかった。

「それにしても、何で夜中に家を飛び出さんきゃならんかったのかね。あんな仏さんのような旦那の、何が不服だったのかねえ」

「………」

「酒はのむじゃなし、女を囲うわけじゃなし、固い一方、働く一方。お内儀さんのことだって、そりゃあ大事にしてるじゃないか」

「………」

本当だと文治は思う。幼い時から、あの店にどれほど行ったか知れないが、順平とふじ乃が、気まずい空気になっているのを感じたことはない。順平がふじ乃を呼ぶ時の声も、常におだやかで優しかったし、ふじ乃の順平に対する口の利きようも、明るくて、はきはきしながらも情(じょう)があった。子供心にも、仲のいい夫婦だと文治は思ってきた。そのふじ乃が、夜中に家を飛び出すとは。何か容易ならぬことが起きたにちがいない。その容易ならぬことは何なのだろう。世間体もかまわず、あちこちに人を出して、必死にふじ乃を探している様子だ。文治は息苦しい思いで、帳場のほうに目をやった。

「ここだけの話だけどね。お寺の奥さんの話じゃ、あの赤ん坊が生まれた頃から、ちょっと二人の仲が、しっくりいかなくなったっていうんだがね。あんた、そんなことを聞いたことがないかい」

「いいえ、何も」

利口者のキワは、うっかり口を開くことはない。黙って話を聞いている時のほうが多い。そんなキワをじれったがる者もいるが、「山形屋のお内儀は口が固い」とか、「山形屋のお内儀が人の悪口を言っているのを聞いたことがない」とか言われて、愚痴を言いに来る者、相談事を持って来る者が少なくなかった。

「そうかい、何も聞いたことはないかい。だけど、夫婦ってわからんもんだねえ……。ああ、おいしいお茶だこと。あんたのいれたお茶は苫幌一だよ」

ハツは言い、

「だけど、あんた、どこに逃げたと思う？　昼ならば馬車に乗るという手もあるけどさ。夜中じゃ、歩くより仕方がない。歩いて留萌（るもい）まで逃げたのかねえ。ま、忙しいところを、すまなかったねえ。何か聞いたら、カネナカさんに知らせておくれ」

風呂屋のお内儀は、自分だけしゃべって帰って行った。キワが台所に戻って来た。

「母さん、大変なことになったな」

恭一が布巾を洗い桶の中で洗いながら言った。

「ほんとにねえ。お内儀さん、思いつめなきゃいいけどねえ。何があったか知らないけど」

　キワは低く言った。

「まさか、海には飛びこまないよね」

　文治は先ほど、海に飛びこむふじ乃の姿が鮮やかに目に浮かんだことを、何か不吉なことに思った。

「まさかと思うけどねえ。志津代ちゃんのことだって考えるだろうからねえ」

　恭一が大きくうなずいて、

「そうだろうな。あの赤ん坊ばかりが子供じゃないからな。志津代のことだって、考えてるだろうさ。だけど、志津代もかわいそうにな。どんなに心配してるかわからんぞ。な、文治」

　文治は何となくうなずくことも出来ずに、戸棚の同じところを幾度も拭いている。恭一はその文治には頓着せず、

「大人は勝手に喧嘩してもいいけど、志津代はかわいそうだよ。冗談じゃない」

　恭一は本気で腹を立てた。文治はその語気に圧迫を感じた。志津代をかわいそうだと言う恭一に、同時に羨望に似たものを感じた。

「母さん、俺たちも探しに行くか」

　恭一は落ちつかないようであった。文治も志津代のために、一刻も早くふじ乃を探し出

してやりたい思いだった。

「そうだねえ、探してあげたいものだねえ。でも、風呂屋のお内儀さんが何も言わなかったし……勝手に動いてもどうかねえ」

苫幌では何か事があると、男では畳屋の主人磯山孫七、女では風呂屋のお内儀森下ハツが先頭に立つ。そのハツが訪ねて来て、手を貸せとも言わなかったのだ。この土地はこの土地の自らなる秩序がある。

「うちはいつ客が来るかわからんから、あの小母さん遠慮したんだろうけどな」

どこかで雲雀の声がした。いつの間にか強い風がすっかりやんでいる。

「のどかなのになあ」

文治が呟いた。先ほど北上の手紙を見て、東京に行きたいと思った文治の気持がいつしか萎えていた。

恭一と文治は、台所の仕事を終えて二階に上がった。布団を干すためである。二階の窓から天塩山脈が遠くつらなって見えた。白い雲が刷毛で刷いたようにその山脈の上に浮かんでいる。またしても雲雀の声がほがらかに聞こえた。

「ところでな、文治、お前、俺たちの籍のこと、どう思う？　北上さんが認知しようかって、言って来てくれたけどさ」

不意に恭一が言った。

「うん」

文治は生返事をしながら、廊下に木綿の敷布団を運び出した。

「気が進まんか」

恭一は積み重ねた布団の上に腰をおろして文治を見た。

「そんなことはないけど……」

突っ立ったまま文治は足もとに目を落した。

「私生児って、やっぱり世間は変な目で見るからな」

「ねえ、兄さん、世間が変な目で見るってこと、父さんは知ってたんだろう」

「そりゃあ知ってたかも知れないが……」

「子供たちが困ると思わなかったんだろうか」

「それはおやじなりに考えていたんだろう」

「そしたら、何とか手を打ってくれればよかったのになあ」

「何だ、文治はそんなことを考えてたのか」

「いや、考えたわけじゃないけど、考えることもある。兄さんは？」

恭一は大きな目をくるりと向けて、

「俺はな、おやじが好きだったからな。だんだんおやじの心がわかるような気がしてきたんだ。北上さんの話では、確かにおやじは、空知の監獄を脱走したわけだ。そして、偶然この家に泊まって、ここが気に入った。それから祖父さんに気に入られて、母さんをもらうことになった。だが、籍を故里（くに）から取り寄せるわけにはいかない」

「そこなんだよ。俺なら、脱獄して来て、人の家の婿には入りこめないと思うんだよ」

　ちらりと志津代の顔を文治は思い浮かべた。

「お前ならそうだろな。馬鹿まじめのほうだからな。しかし、おやじは自分のしたことに、罪の意識はなかったと思うぞ。悪いのは捕まえたほうだと思っていたと、北上さんが何度も俺に言ってたもんな」

「だけど、結局俺たち私生児にされたわけだろ」

「それはまあ、いいじゃないか。おやじだって悪気があったわけじゃない。第一、籍なんて、誰かが決めたことで、籍があろうとなかろうと、子供ってものは、男と女があって生まれてくるんだ。世間じゃ、私生児を父（てて）なし子って言うけど、父親がなくて生まれてくる子がどこにいる。耶蘇（やそ）の神さまじゃあるまいし」

　恭一は笑った。

「そうだよね、父親のいない子はいないよね。だけど、俺、自分の父親でない人を父親だと言うのは、いやだな」

「そりゃあ、俺だっていやだよ。おやじはあの西館長吉一人でいい」

「そうだよね。だから、まだ籍のことは、どうだっていいな」

二人はまだ、籍のことで悩まされたことはなかった。父親がどこの人間かわからぬにせよ、山形屋の若旦那として、村人たちから信頼されていたことは事実だった。

「お前の父ちゃん偉かったな。男がほれるような男だったぞ」

村人から、頭と言われている畳屋の磯山孫七でさえ、そう言うことがある。たまには、

「お前のおやじの本当の名は、まだわからんか」

と、意地悪く言う者もないではないが、村人自身が、籍については無頓着だった。結婚して妻をすぐに入籍する者など半数にも満たない。子供が三人も四人もいながら、妻を入籍していない者は珍しくない。従って庶子となっている子供たちが多かった。だが、その庶子とは何かなどと、気に留める者は滅多にいない。戸籍など、明治になるまでは誰にもなかったのだ。

「第一な文治」

そう言って恭一は布団を二重ね一度に抱えた。文治も布団を抱えて後に従った。二階の廊下の突当りから、二人は物干場に出た。一間半に三間ほどのこの物干場は、長吉が死ぬ

少し前に造っておいたものだ。分厚い板や、太い柱を使ったこの物干場は、九年も経ったと思えぬほどにしっかりしている。足もとの簀の子も、びくともしない。恭一には、ここで長吉と将棋を指した思い出があった。

「島がきれいだなあ、今日は」

布団を干しながら文治は言う。

「うん」

恭一が目を細める。

「あの島で一生を終わる人もいるんだなあ」

「うん、住めば都さ」

二人は再び部屋に戻った。

「文治、籍のことだけどな、俺、北上さんから初めて話を聞いた時、誰かに認知してもらうなんて、それじゃ嘘になるって、怒ったんだ」

「うん、聞いてる」

「だけどな、あれから一年以上経ったからな。俺もいろいろ考えてさ。私生児だの庶子だのと、ごちゃごちゃ言うほうが悪いんだから、嘘でも構わんとは思うんだ」

二人はまた物干場に出た。海の青が目に沁みる。潮騒のひびきにまじって、雲雀の声が聞こえる。磯舟が幾つか海の上に出ている。文治はふじ乃のことを思った。

「だけどな文治、ここの役場では、俺たちの父親が誰か、知ってるわけだろ。北上さんが認知するって言ったって、役場の人が、その届け出を受け入れるわけはないとも思うんだ」

「そうだよなあ。そしたら俺たちは結局、誰が認知すると言ったって、してもらいようがないわけだね」

「そうさ」

「もし、どうしても認知してもらうとしたら、どうするの」

「そうだな、俺たちのことを知らない、旭川（あさひかわ）かどこかに先（ま）ず本籍を移してさ、そこで誰かに認知してもらうより仕方ないだろうな」

「ふーん、面倒な話だな。本籍を移すのに、兄さん、俺たちも移転しなきゃならないわけだね」

「まあそうだろうな、よくはわからんけど」

「どっちにしても俺、西館文治でけっこうだよ。北上文治だなんて、俺いやだな。ほかの人間みたいだ」

　二人は崖端の木立越しに海を見た。芽吹の遅いヤチダモもすっかり鮮やかな新葉となり、その向こうに海は広がっている。

「ほんとうだな、北上恭一、北上文治、北上哲三、なんだいこりゃあ、母さんとは全くの赤の他人という感じだな。それはそうと、カネナカの小母さん見つかったかな」

「うん……」

文治は眉のように並ぶ天売・焼尻の島に目をやった。

四

四月だというのに、また雪がちらつき始めた。

「どうもありがとうございました」

ふじ乃の華やかな声に送られて、漁師が二人、機嫌よく手を上げて帰って行った。と、ふじ乃はすっと帳場に近寄り、坐っている順平を無視して帳箪笥の引出しをあけ、手づかみでざっくりと小銭をつかみ取った。そして藤色の縞の財布に二つかみ、三つかみと続けて入れた。順平は見て見ぬふりをして、算盤(そろばん)を弾(はじ)いている。番頭の嘉助が渋い顔をし、小僧たちも顔を見合わせた。志津代はまじまじと、その母のしぐさを見た。

母は三年前のあの時から変わったと、志津代は思う。突如夜中に家を飛び出したふじ乃は、三日目に羽幌(はぼろ)の町で見つかった。村の者が総出で、羽幌とは反対の留萌(るもい)のほうへ探しに出た。逃げるのであれば、汽車のある留萌に出ただろうと、人々は思った。が、ふじ乃は目と鼻の先の羽幌の町に行っていた。ふじ乃は貧しい漁師の家に姿を隠していた。漁師はふじ乃が、

「見つかったら殺される」

と言った言葉を真(ま)に受けて、妻と二人で親切に匿(かくま)ってくれた。自分の町からほとんど出

たことのない、子供のいないこの漁師夫婦には、これが有名なカネナカの妻女とは夢にも思わず、天女のようなきれいな女が舞いこんだと、恐れさえした。ふじ乃が差し出したお礼の額の大きさも、二人を忠僕のようにさせた。が、新太郎の泣き声から近所の人々に怪しまれ、すぐにふじ乃の身元は割れた。ふじ乃がいると知って、順平が自ら迎えに来た。畳屋の頭も、風呂屋のお内儀も、なだめ役に従いて来た。だがふじ乃は、

「何さ、ちょっと息ぬきに来ただけじゃないか。一人で来たんだもの、一人で帰りますよ」

と、動こうとしない。困った順平は、他の者に席を外させ、ふじ乃の前に頭をこすりつけて、帰ってくれと頼んだ。

「そんなに言うんなら帰ってもいいけれど、これからはわたしは勝手にさせてもらいますよ」

ふじ乃は居直った。

「戻ってくれさえすれば、何をしてもいい」

順平は気弱くなっていた。順平にとって、ふじ乃は掌中の珠であった。この界隈に、ふじ乃ほどの美しい女はどこにもいない。いや、大阪、京都、東京にもいないと順平は思う。性格は激しいが、さっぱりとしている。情にももろい。店の仕事もよくやってくれる。十四も年上の順平を、決してなおざりにはしない。これほどの女は、そうどこにもいる筈はなかった。只、順平は新太郎の誕生を疑っていた。自分の留守中、増野録郎がこの苫幌

にやって来た。そしてその夜に泥棒騒ぎが起きた。ふじ乃と増野の間に、何かあったと順平は直感した。が、それはあくまで勘であって、証拠はない。絶えて妊娠の気(け)のなかったふじ乃が子を宿した。生まれた日から逆算して、順平の子とも、増野の子とも言い難いのが順平を苦しめた。順平は、ふじ乃が妊娠したと知った時、誰の子かとしつこく責めた。

「馬鹿馬鹿しい。わたしが誰の子を生むというんです」

ふじ乃は突っぱねたが、順平はその言葉を信ずることが出来なかった。それには理由があった。

順平がふじ乃を知ったのは、ふじ乃がまだ幼い頃であった。順平の家も決して裕福ではなかったが、佐渡(さど)の真野村(まのむら)に、順平の家は村の世話役として重んぜられていた。順平の家は桶屋であった。真野には酒造りの家、味噌醤油造りの家があって、樽桶の製造はなくてはならぬ仕事であった。順平の父はその樽桶造りの名人と言われる腕を持っていた。順平はその父を誇りにしていた。

ふじ乃の家は農家だった。子供が多かった。七人きょうだいのその中で、どういうわけかふじ乃だけが際立って目鼻立ちが整っていた。ふじ乃が十歳になる頃は、もうその器量のよさが近隣の村にまで伝わっていた。

「あれは真野神宮の申し子じゃ」

誰言うとなく、そんな噂が広まった。

「源作は、ふじ乃の尻にさわろうとしてから、手が病むようになった」とか、

「丙四郎は、ふじ乃を追っかけた時足をひねり、それからずーっと足を引くようになったんじゃ」

そんな話があちこちで聞かれるようになると、人々は一層真野神宮様の祟りを恐れ、ふじ乃を恐れるようになった。中には、ふじ乃の家の前を通る時、急いで駆けぬける者もあった。と思えば、ふじ乃の家の前でぺこりと頭を下げる者、手を合わせる者もい、更に、畠の成り物を真っ先にふじ乃の家に届ける者すら出るようになった。それほどにふじ乃の美しさは、稀なる美しさであった。ふじ乃が十歳になった頃、順平は既に二十四歳であった。十六歳の時から北海道に行商に渡って来ていたが、帰郷する度にふじ乃の成長ぶりを見、順平は心ひそかにふじ乃を自分の妻として、思い描くようになった。一日も早く独立したい順平はふじ乃を思う度に、自分に鞭打った。が、余りにもふじ乃は若過ぎ、美し過ぎた。自分の一世代あとの女だと、諦めることもあった。しかし、貧しいふじ乃の両親を納得させるだけの金があれば、何とかなるように思われもした。

幸い、ふじ乃は順平になついていた。真野に帰る度に、順平はふじ乃の家に、北海道特産の魚の干物や産物を土産に届けに行った。ふじ乃が物心ついた時から、順平は既に大人

であった。その大人の順平に、ふじ乃が妹のような親しみを見せた。だがそれだけであった。無理もないことであった。

ある時、順平は思いあぐねて、増野録郎に相談をした。

「へえー、真野神宮の申し子と言われるほどの美人だっか。そないにええ女子、諦めることはあらへん」

「しかし、年が十四もちがうのでな」

「なに、年などかまへん。女子いうもんは、銭さえあれば従いてくるもんや。あんたみっしり貯めこんだやろ。思い切って当ってみたらよろし。なんならわしが親御さんに話をつけてもええで」

と、自分のことのように乗り気だった。間もなく順平は苫幌に店を持った。商売は思ったより順調に伸びた。鰊の豊漁が幸いした。しかし順平はまだふじ乃に求婚する勇気がなかった。にべもなく断られそうな予感がした。いや、断られるだけならよい。村中の笑い者になるような気がした。順平は黙々と働いた。そしてその年、墓参に真野に帰った時、ふじ乃が芸者に売られるという話を聞いた。それが順平の決意を促した。折よく、約束していた増野が佐渡にやって来た。増野には既に妻も子もいた。その増野と順平は、我が子を芸者に売るというふじ乃の親に会った。芸者に売ろうとする金額の倍を、増野が決めた。

「但し、これだけの金額を順平さんは、はりこむんや。ふじ乃さんは、十年は里帰りはさせへんで」

芸者の世界も知っていた増野録郎の言葉だった。すぐに里帰りをさせれば、遠い蝦夷くんだりまで再び帰る気持を失ってしまう。一旦嫁げば、とにかく約束どおり嫁いだということで、あとは実家に帰ってしまう女も中にはいる。増野はそんな事情を予見して、条件をつけたのだった。その時順平は三十二歳、ふじ乃は十八歳であった。

話をまとめたその夜、

「しかし、仰天したな。あんな別嬪見たことあらへんで。京でも東京でもかめへん、芸者屋に連れてったら、何千円でも出す上玉や。わしも一生に一度は、あんな別嬪と寝てみたいわ」

と、増野は冗談を言った。が、その言葉は、順平には冗談とはひびかなかった。人扱いのうまい増野録郎に、ふじ乃は何の警戒心も見せずに、楽しそうに話をしていた。何年知り合っている順平よりも、もっと親密に見えた。そんなふじ乃に増野は、

「どれ、手を見せてみい。占ってやろか」

と気易く言い、順平が手をふれたこともないその手を取って、

「ははん、ええ手相や。金とは一生縁の切れん手相や。うん、亭主運もええ。子供運もええ。こりゃあ、順平さんと一緒になったら、ええことずくめや」

とおだて、

「しかしな、気いつけえ。変な男がいつも狙っとるでな。もしかしたら、一生に一度ぐらい浮気を……」

と、ちらりと順平を見、そのけわしい表情に気づいて、

「いや、一生に一度も浮気せん固い女子や」

と笑った。

時折その増野の言葉が順平の胸に甦えることがある。そしてその度に、あの増野の言葉に、拭っても拭い切れない順平への羨望があることを感じてきた。そしてそれは、順平には許し難いことだった。増野が軽々しくふじ乃の手を取ったことも、同様に許し難いことであった。

確かにふじ乃は、今正に芸者に売られようとした娘ではあった。だが、まだ芸者に出たわけではない。しかし増野は、心のどこかで、ふじ乃を遊び女として扱っているところがあった。それでなければ、順平の妻となるべき女の手を、ああもおおっぴらに取ることは出来ない筈だ。もしこれが人妻なら、あんな無礼は働かぬにちがいない。堅まじめな順平には、箱屋として、三味線箱をかついで芸者の供をして歩いたり、その着付けをしたりした録郎の女性感覚がわからなかった。

毎年のように、増野が北海道に行商に来るようになった。初めて来た時は、順平も単純に喜んだ。北海道の片田舎で、知人の顔を見るということは、本州人には想像することも出来ぬ大きな喜びなのだ。だが、ふじ乃が妙にはしゃいで増野に酒を注ぐ姿を見ると、順平はかっと胸が熱くなるような気がした。ふじ乃も自分と同じように、単純に喜んでいるだけだと思いながら、顔がこわばっていくのを、順平は感じないわけにはいかなかった。

翌年もまた、増野が行商にまわって来た。増野を迎えるふじ乃の態度は、親戚でも迎えるような、隔意のない態度であった。宿に泊まるという増野を、

「いいじゃありませんか。うちの人と枕を並べながら、積もる話でもしてくださいよ。ねえ、あなた」

と勧めた。順平としても、増野を宿に泊めるような、よそよそしいことは出来ないとは思っていた。だが先を越してそう言われると、何か承服し難い思いが残る。

「ふじ乃の言う通りだ。苫幌に来て、宿を取る手はないだろう」

笑顔で、順平もそう言わざるを得ない。が、増野は、

「いや、あの宿で商売をさせてもらう手前、折角の言葉やけど、わては宿へ帰りますわ」

と言い、それでも十一時近くまで話しこんで帰って行った。増野の帰ったあと、ふじ乃は上気した頬をおさえて言った。

「増野さんって、ほんとにおもしろい人ね。わたし、真野で初めて会った時から、何となく好きな人だと思ったけど……」

「好き?」

　思わず咎めそうになる思いを押し鎮めて聞き返すと、

「ええ、好き。大好き。あの人の話は大阪弁のせいかしら、とても楽しい。時々、お腹(なか)の皮がよじれそうになるもの。明るい人っていいわね」

　と、ふじ乃は屈託がない。順平は、自分がおもしろくない男だと言われたようで、淋しかった。そう言えば、結婚して以来、自分はふじ乃に声を立てて笑わせるような話をしたことがない。だが増野は、猫と猫の喧嘩の話でさえ、目に見えるように活写する。確かに増野は話題が豊富で、話し方が巧みであった。

「増野さん、しばらく苫幌に滞在するといいわね」

　ふじ乃は順平の心を知ってか、知らずか、そうも言った。そんなことが繰り返されたが、明治三十八年の年、増野は姿を見せなかった。それが戦争に行ったためだと知った時、ふじ乃は毎日のように増野の身を案じた。

「大丈夫かねえ、増野さん」

　神棚に向って手を合わせたあと、きまってふじ乃はそう言った。それどころか、

「お百度参りをしようかしら」

　と、言ったこともある。

「そんなに心配か、増野が」

　思わず順平が言った。

「あら、あなたは心配じゃないの？　あの人は今、戦場にいるのよ。いつ鉄砲弾丸が飛んでくるか、わからないのよ。わたしは心配だわ。毎日毎日無事であって欲しいと思うわ。ほかの兵隊さんのことも心配だけど、知ってる人のことは、なおのこと心配よ」

　ふじ乃は正々堂々としていた。変に勘ぐるほうが、却っておかしいとふじ乃に笑われそうであった。ふじ乃は一つのことに打ちこむ激しい性格であった。日露戦争と言っても、海の向こうから砲弾が飛んで来るわけではなし、軍艦が沖合に姿を見せるわけではなし、戦争は遠いよその国の出来事のようであった。が、ふじ乃は、決して遠いことには思わず、毎日増野の安否を気遣っては口にした。ふじ乃に疚しい気持があるならば、増野の名はその口から出はしまい。そう順平は自分で自分に言い聞かせてみた。が、嫉妬の炎は消えたようで、ともすると燃え上がった。理不尽だと自分でも思う。ふじ乃が人並み外れて情が深いだけなのだと、思いはするのだが、すぐにまた、

（あの心配のしようは、尋常ではない）

という思いがもたげてくる。その繰り返しを順平は幾度してきたことか。挙句の果てに、戦地から無事増野が帰って来た。しかも増野は、毎年盆には順平が佐渡に墓参に帰ると知っていながら苫幌にやって来た。順平には何としても、自分の留守を目がけてやって来たとしか、思いようがない。

その上、夜中、便所の窓から志津代が男のうしろ姿を見かけたという。ふじ乃は、志津代が寝呆けたのだと一笑したが、順平は志津代の言葉を信じた。その男の影はふじ乃のもとにしのんで来た増野録郎の姿にちがいないと、順平は思った。許せぬと思った。

以来、その思いが尾を引いて、順平はふじ乃を時折責めた。順平には、新太郎を抱くことが出来なかった。どれほど新太郎が泣いても、順平は抱くことも、あやすことも出来なかった。生まれてからしばらくの間は、新太郎は誰に似ていると言い難かった。が、次第にふじ乃によく似てきた。自分にも、増野にも似たところがない。それがまた順平をいら立たせた。

とにかく、そんなことがあって、「怒りたいのは俺のほうだ」と言った一言がふじ乃を傷つけ、家出騒ぎとなったのである。そしてそれ以来、ふじ乃は時折金を持ち出しては賭けごとに熱中するようになったのだった。

湯けむり

目黒不動

目黒不動

一

真白き　富士の嶺
緑の江の島

半幅帯をくけながら、鼻歌を歌い出したのは、寺の娘のヨシである。と、医者の娘の八重もすぐに歌い出した。浴衣地を截ち台の上に広げていた志津代は、ふっと目を上げて窓を見た。潮風にささくれた窓の出格子の傍にニレの青葉が風に揺れ、その向こうに青い六月の海が見えた。

「あのね、志津代ちゃん」

歌っていた八重が、窓に目を向けた志津代に話しかけた。八重は十日も前から手がけている銘仙の羽織を、今日もまだ膝の上に広げている。

「なあに?」

志津代は鋏(はさみ)を手に取った。

「昨日ね、文治さんから葉書が来たの」

「あら、八重ちゃんに」

志津代が答える前にヨシが言った。

「ううん、うちのお父さんに。わたしになんか、年賀状しかくれない」

八重は口と手が同時に動かない質（たち）なのか、話している間、縫う手がおろそかになる。

この裁縫所の師匠萩原カツは、網元の帳場の妻である。裁縫がよく出来て、人から頼まれるうちに、娘たちへの教授を求められるようになり、一人預り、二人預りするうちに、常時七、八人弟子たちが習いに来る裁縫所になった。カツは、弟子たちが裁縫をしながら歌を歌おうが、勝手なおしゃべりをしようが、全く咎（とが）めない。口喧（やかま）しく言うのは、裁縫を始める前と後に、針の数を数えることだけだ。カツは娘たちがおしゃべりをするのは、いいことだと思っている。裁縫所という所は、若い娘たちが集まって、いろいろなおしゃべりをしたり、時には喧嘩をしながらも、大人になっていくものだと、カツは思っているようだった。苫幌にはもう一軒山の手に裁縫所がある。ここはしつけが厳しいという評判だったが、カツの裁縫所のほうが繁昌していた。繁昌といっても、小さな家のこととて、二間（ふたま）通した部屋に截ち台を並べ、七、八人も坐ったら、もう一杯だった。

「文治」という名前に、志津代の胸は騒いだ。八重の口から文治の名が三日に一度は出るのだが、志津代は文治の名に馴れることは出来ない。この三月、八重も志津代も高等科を卒業した。そして二人は、同じ裁縫所に通うことになった。裁縫所は志津代の家から一丁ほどの浜べにあった。八重は山の手に住んでいるわけだから山の手の裁縫所に通えばよさそうなものだが、カツの人柄がいいのと、志津代と共に習えるということで、遠い道を浜までわざわざ下りて来る。

「あのね、何と言って来たと思う？　志津代ちゃん」

「さあ、わからないわ、そんなこと」

志津代はわざとそっけなく言う。

文治が東京に出たのは、志津代の母のふじ乃が家出騒ぎを起した年で、やがて丸三年になる。その間、志津代は文治から手紙をもらったことはなかった。道で会っても、店に買物に来ても、口をきくこともなかったから、便りが来なくて当然だった。それでも志津代は、葉書の一枚ぐらいくれてもいいと、心の底に恨む思いもないではなかった。折々の八重の話で、文治が山形屋に泊ったことのある客人を頼って上京したこと、以来その家に寝泊りしていること、郵便配達をしながら、夜は学校に通っていることなどを志津代は知った。

（もう文治さんは、苫幌に帰って来ることはないのだろうか）

この三年間、志津代は幾度そう思って来たことだろう。東京という土地は、志津代にとてつもなく遠い所に思われる。北海道から本州に渡るには、連絡船に四時間も五時間も乗ると聞いた。この裁縫所からは天売・焼尻の島が見える。あの島へは磯舟でも渡れるが、本州へは大きな客船に乗らなければならない。向こうの陸地が見えないと聞くと、苫幌の海の彼方にあるロシヤに行くほどの遠い所にあると思われる。しかも青森に着いてから、何十時間もかかって東京に着くという。文治はもう早「苫幌の人」ではなく、「東京の人」になってしまったような淋しさだ。

「なんて書いて来たのさ」

誰かが言った。

「当ててみな」

八重は白い歯をちらりと見せて笑った。その歯がぬれて変になまなましい。寺の娘のヨシが待ち針を針刺しに刺しながら言った。

「八重ちゃんを嫁さんにしたいってかい」

ヨシは志津代や八重より二つ年上で、十八歳であった。この裁縫所では一番の古参である。だから、帯でも長襦袢でも鼻歌まじりに器用に縫う。

「あらいやだ!」

八重の頬が赤く染まった。

「なんだ、そうじゃないの」

「まさか。文治さんはまだ十九よ。わたしだってまだ十六だし」

「十六でお嫁さんになる人はいくらでもいるよ」

　隅のほうで、さらし木綿の肌襦袢を黙々と縫っていた娘が言った。入ったばかりの娘たちは先ずさらし木綿の肌襦袢から縫わされる。ヨシがちょっとおもしろくない顔をした。ヨシは今年中に嫁入りしたいと焦っていた。あと半年すれば十九の正月を迎える。人々は、十九は「重苦」と言って、女の厄年だと言い、嫁にやるのを避けた。嫁にもらうのも避けた。二十になると「とうが立った」と言って、婚期遅れの中に入れられてしまう。ヨシのそんな焦りにかまわず、八重が言った。

「そりゃあ十六でも嫁にいく人は多いけどさあ、でも、お婿さんが十九は少し若いよね」

「そんなことないよ。満二十になったら兵隊に取られるかもしれないからって、兵隊に行く前に嫁取りする人がいるじゃないの」

　誰かが言う。嫁とか婿とかの言葉を口にするだけでも娘たちは楽しいのだ。

「それよりさ、なんて言って来たのさ、文治さんから」

　火鉢に鏝をきれいにさしこんでいたカツが、志津代の聞きたいことをじれったそうに言った。カツの夫萩原茂隆は、文治の父長吉が苫幌に来た時、まだ十八、九の若者だった。当時の茂隆は苫幌指折りの乱暴者で、酒も強かった。それが、時折浜に腰をおろして海を見ている長吉と、いつのまにか言葉を交わすようになり、やがて山形屋に出入りするようにもなった。茂隆は余り好きでなかった勉学が、長吉に会ってから次第に好きになり、毎夜のように山形屋に行くようになった。カツと結婚した二十五の時には、もう網元の帳場が勤まるようになっていた。長吉が一夜の病で死んだ時には、柱に頭を打ち叩いて嘆き悲しんだ。カツとの間に子供こそ出来なかったが、茂隆とカツは幸せな結婚生活であった。今でも何かあると、茂隆の口から長吉の名前が出る。その長吉の息子の文治のことだから、カツもよそ事には思えない。カツに促され八重が言った。

「あのね、文治さんが、もしかしたらそのうち帰って来るかもしれないいって」

志津代は耳を疑った。カツが言った。

「帰って来るって？　どうして？」

ヨシが「真白き富士の嶺」を、また鼻歌で歌った。ヨシも一つ年上の文治を嫌いではない。だが、いつも八重が「文治文治」と騒ぎ立てるので、何となく無関心をよそおいたくなるのだ。

「わからない。わからないけど、体が悪いみたいなの」

「体が悪い!?」

カツの声が大きくなった。

「そう。うちのお父さんが、帰って来たほうがいいって、手紙を出したらしいの」

「体が悪いって……まさか……」

カツは「肺病じゃないだろうねえ」という言葉をのみこんだ。

「盗汗がつづいて、食欲がないんだって」

「でも、苫幌まで帰って来るんなら、そう重いわけじゃないでしょ」

ヨシがくけ終わったメリンスの半幅帯を、ちょっと爪で弾くようにして言った。

「そうだわね、きっと」

「そうにきまってるわ」

「重かったら帰って来れないわ」

娘たちは口々に言った。志津代は黙って布地を截っていた。が、心が躍るのをおさえることが出来なかった。文治は学校を出るまで苫幌に帰っては来ないと思っていた。いや、学び終えても東京にとどまるものと思っていた。その間に自分は、親に勧められるままに婿を迎えなければならないかも知れない。おそらくもう文治とは会うことはないのだ。そう志津代は諦めていた。たとえ帰って来ても、文治はカネナカの店で働くとは言わないだろう。父の順平は文治を婿に欲しいと言ったことがあるが、そんな願いが叶う筈もない。文治が東京に行った時、志津代は俄かに張り合いを失った。そして自分がどんなに文治を慕っていたかを知ったのだった。

文治が東京に発ったのは、慥か七月に入ってからだった。学校から帰った志津代が、紺絣の前垂れをつけて店に出て行くと、文治がノートを三冊手にしていた。順平や番頭たちは他の客を相手にしていて、文治は新しく入った小僧と何か話をしていた。はっとたじろぐ志津代に、文治は視線を向けた。思いがけぬ強い視線だった。志津代は目を伏せようとしたが、たぐり寄せられでもしたように、なぜか視線を外すことが出来なかった。胸の辺りが痛くなるような視線であった。それはひどく長い時間のように思われた。が、あるいは数秒であったかも知れない。視線を外したのは文治のほうだった。いや、外したのではなく、文治はさっと戸口から出て行ってしまったのだった。その翌日、文治が苫幌を去ったことを志津代は知った。

（もしかして、文治さんはわたしを好いていてくれたのだろうか）

そう志津代は思うことがある。

（あれはわたしに別れを告げに来てくれたのだろうか）

そうも思うことがある。文治のことは、何くれとなく伝えてくれる八重でさえ、その上京を知らなかったから、どんな事情で急に文治が東京に行ってしまったのか、詳しいことは知らなかった。

が、それとは別に、当時思いがけない噂を志津代は聞いた。それは山形屋の息子たち、恭一、文治、哲三の三人の苗字（みょうじ）が変わったという噂である。

「山形屋の息子たちが、西館から北上とかって名に変わったって聞きましたが……」

番頭の嘉助が順平に言ったのはある朝のことで、その夕刻には風呂屋のお内儀森下ハツが店に入るなり、

「山形屋の息子たちのこと、聞きましたかね」

と言った。

「何でも、北上という名前になったとか……」

番頭が答えると、

「北上って、あの死んだ長吉さんの本名かね」

と、ハツは声をひそめた。

「なるほど、そうかも知れませんな」

「そんならまあ目出たいことだね」

ハツは幾度もうなずきながら帰って行った。戸籍のことに、詳しい者など誰もいない。誰もがハツと似たり寄ったりのことを言った。志津代は、西館文治が、聞いたこともない北上文治という名に変わったことに、大きな違和感を感じていた。だが、あれから三年経っ

た今、苫幌ではそんなことは忘れられているようであった。なぜなら、村人が恭一たち兄弟の名前を、北上という姓を冠して呼ばねばならぬ必要は、全くなかったからである。玄関の右手に、山形屋旅館と墨で書かれた大きな板の立看板が吊るされている。その脇に西館長吉という表札が、いまだに下がっているが、人々はこの一家を「山形屋」と屋号で呼び、西館という姓は、村人にとっては、あってもなくてもよいものだった。いや、中にはキワたちが元々西館という姓であることさえ知らない者がいた。というわけで、姓の変わった噂は、いつしか何もなかったように忘れ去られていたが、志津代の胸からは消えてはいなかった。

(文治さんが帰って来る!)

別れとなったあの店先での文治のまなざしを、志津代は思った。

「あら!」

志津代は思わず声を上げた。二つ取るべき袖が、三つになっていたのである。

二

　どこからか女の声が時々聞こえてくるようだ。この広い原野のどこに人がいるのだろうかと、文治は空を見つめていた。雲一つないのだが、どこか暗い空だった。

(あんなところに山があったろうか)

　ゆっくりと首を曲げて、文治は西のほうを見た。もうろうとではあるが、そこには確かに山が見えた。

(なんだ、あれは富士山じゃないか。苫幌と思ったら、ここは東京か)

　そう思った時、不意に文治は目が覚めた。軒の風鈴がちりりと鳴った。女の声と聞こえたのはこの風鈴の音であったかと、気づいて文治は苦笑した。

「文治、よく寝たなあ」

　廊下に強い足音が聞こえたかと思うと、恭一の屈託のない声と共に顔がのぞいた。

「うん」

　文治は微笑した。ひどく安らかな心地だった。

「疲れたか」

「うん。まだ乗り物に乗っているような気がする」

東京から苫幌まで、汽車、船、汽車、馬車と、何十時間も乗り継いで来たのだ。

「そりゃあそうだろう。だけど、思ったより顔色がいいんで安心した。母さんもそう言ってたぞ」

恭一は枕もとにどっかとあぐらをかいて、じっと文治の顔を見た。

「今何時だい？」

「もうすぐ一時になる」

驚いて文治は床の上に起き上がった。まだ朝の八時頃かと思っていた。

「まあ寝てれよ。眠いだけ寝るほうがいいぞ」

「うん」

二人はお互いにお互いを見た。文治は何ともいえない熱い思いになった。只顔を見合わせているだけで、通ずるものがある。これが肉親の情というものかと、しみじみと思った。三年ぶりに見る恭一は、ひとまわり大きくなったように見えた。

「腹空いたろう」

「いや、そうでもない。俺、十六時間も寝たんだろうか」

文治がわが家に帰り着いたのは、昨日の夕刻だった。食事をすませると、キワは用意してあった布団に、早々に文治を横にさせた。横になったまま、東京の話などをしているうちに、いつのまにか寝入ってしまったらしい。

「なんだお前、小便にも起きずに十六時間寝つづけたのか」

「うん、そう言えば、厠（かわや）にも行かなかったな。行ってくる」

　文治は立ち上がった。

「お前もだいぶ背が伸びたな。何寸だ」

　頬がこけたと思いながら、恭一はそのことは口に出さなかった。

「五寸八分だ」

　足もとが少しふらつくような気がした。

「なんだ、俺とほとんど同じだな。俺は六寸だからな」

　恭一は廊下に出て行く文治を見上げながら言った。キワは買物にでも行ったのか、家の中はひっそりとしている。泊り客も出払って一番静かな時刻なのだ。文治が戻って来た。

「出たか」

「うん、出た。少し赤かった」

「赤い小便か。疲れた時は俺も赤くなる」

　恭一は答えた。本当は恭一は滅多に赤い尿などしたことはない。

「母さんは？」

「どこかその辺だろう」

二人はまた何となく顔を見合わせた。

「いいなあ、やっぱりわが家は」

文治は心からそう思った。東京の北上宏明の家が居辛かったわけではない。北上も北上の妻も、そしてその息子の一郎も、親切な人たちであった。二人の娘は嫁いでいたが、盆と正月には顔を見せた。明るい女たちであった。北上の実家は福島で、かなりの豪農のようであった。長男である北上は、時折福島に帰りはしたが、ほとんどは東京にいた。文治は東京に出るまで、北上のような生活をしている人間が、この世にいることを知らなかった。板塀をめぐらし、八室もある大きな家に住みながら、北上は別段どこに勤めているというわけでもなかった。それどころか、女中と書生などを置いて、年中朝から晩まで客の絶えない家だった。その客は東京に住む常連ばかりではなく、九州四国からも訪ねて来ていた。文治は、その生活が最初のうちはなかなかのみこめなかった。大の男が、しかも一家の主人が、どこに勤めるわけでもなく、本を読んだり、客と何時間も話しこんだり、あるいは会合に出たりするだけの生活をしていることが解せなかった。郵便局に勤めるまでの二カ月ほどは、文治も外まわりの掃除をしたり、北上宏明について、政治の集会に出かけたりした。また、近くの目黒不動の境内に、文治は北上に連れられてよく行った。さほど広い境内ではなかったが、きれいな水の湧く池があって、北上はそこで屈(かが)みこんだり、ぶらぶらと行ったり来たりしながら、何か考えているふうであった。石段を上がって、目黒不動の横の木下道を歩くこともあった。社(やしろ)の中に偶像が幾つも立っていて、妖しい雰囲気が漂っていた。何の用もないのにぶらつくというのは、これまた文治にはわからぬことであった。少なくとも苫幌には、用もないのに朝夕同じ所を歩きまわる大人など、一人もいない。それが散歩というものだと知るには知ったが、文治にはどうも贅沢な気がしてならなかった。

だがやがて、北上の知人の斡旋で、郵便配達として勤めて初めて、北上と同じような生活をしている人が、東京にはいくらもいることを知った。その男たちは大抵、一戸建ての大きな家や、小さくとも小ぎれいな家に住んでいた。女中もいた。郵便配達の来るのを毎日門の前に待っていて、それを受け取ってから、ステッキをふりふり、下駄を鳴らして散歩に行く男もいた。やがて文治は、彼らが銀行預金の金利で生活していたり、親元からの送金で食っている階級だと知るようになった。そんな中には自分で働いて金を得ることは卑しいことであり、恥ずかしいことだと思っている者もあることを知るようになった。

だが北上は、それらの有閑階級の人々とはちがっていた。有産階級ではあっても、有閑階級ではなかった。北上は決して働くことを卑しいなどと言ったことはない。むしろ働く人々を尊んでいた。働く人々の仲間となって工場に出かけたり、会社に出かけたりして、賃金の交渉に力を藉してもいた。北上の家に集まる者は、多かれ少なかれそうした運動家であった。その忙しい中で北上は、日曜毎にキリスト教会に行き、教会の仕事にも熱心であった。北上は、その運動の集会にも、教会の集会にも、自分から文治を誘ったことはなかった。

「行きたくなったら言い給え。いつでも連れてって上げるよ」

　時々北上はそう言った。文治は、父の長吉が関わっていたといわれる自由民権の流れに興味を持って、度々出かけて行った。よくはわからなかったが、それらの運動には、いつも若い文治の心を唆る何かがあった。教会にも、一度だが連れて行ってもらったことがある。オルガンに合わせて、男女の大人たちが讃美歌を歌う姿は、文治の全く知らない世界の姿であった。そこには一般の生活にはない聖なる気配があった。想像したことも望んだこともないその雰囲気に、文治は違和感を感じた。が、不愉快ではなかった。いつかまた、自分はこの教会という所に来るかも知れないと、そう思わせる心惹く何かがあった。

　東京の三年間で、最も驚くべき事件は今年の大逆事件であった。普段は冷静な北上宏明が、顔面蒼白となって、誰かと激しい語調で、

「謀略だ。幸徳はやってはいない！」

　と叫んでいた姿を、文治は今もはっきりと覚えている。今年の一月、幸徳事件といわれ

る天皇暗殺計画の大事件の裁判があった。二十四人に死刑が宣告され、その中十二人が無期となり、他の十二人が処刑された。一月十八日に判決、六日後の二十四日には死刑が執行されたのである。彼らが捕らえられたのは昨年の五月二十五日であった。首謀者は宮下太吉、新村忠雄、古河力作、そして幸徳秋水の妻管野すが、これら四人であったといわれている。だが当局は社会主義者、無政府主義者の弾圧を一挙になすべく、当時湯河原で療養中であった幸徳秋水を首謀者として検挙した。

文治がこの事件に驚いたのは、幸徳秋水を三度見かけたことがあったからである。その中一度は、五、六十人の聴衆の集会であった。他の二度は、秋水が実に北上家を訪ねた時であった。秋水は鼻下に上品なひげをたくわえ、着物の襟元をきちんと合わせて、羽織袴を着けていた。一度目は文治が東京に出て間もない頃で、まだ勤めに出ていなかった。女中に代わって茶を運んで行くと、

「北海道から出て来た西館文治君です」

と、北上は紹介してくれた。

「北海道から？　ではあの佐藤君の？」

「そうです。佐藤文之助の次男です」

幸徳秋水は二度三度深くうなずいて、

「君のお父さんには、ひとかたならぬ世話になった」

　と、真実こもる声音で礼を言われた。次に会ったのは一昨年の夏であった。むし暑い夕方北上の家を訪ねて来たが、この時文治は秋水の前に呼ばれた。このときも秋水は、長吉のことを、

「立派な男だった」

　と言い、庭の噴水に目をやって、

「文治君、水は本来低い所に流れるものだ。それがあのように高い所に噴き上げている。おもしろいとは思わないかね」

　と言った。文治はその言葉を、何か深い意味があるように思って聞いた。秋水はまた言った。

「ぼくは日露戦争中、戦争反対を新聞に書きつづけた。戦争になる前も非戦論を称えつづけた。だがね、それが当局の忌諱に触れてね。しかしぼくは、人間は言葉で理解し合うものだと信じている。暴力で相手を黙らせることは簡単だが、人間の取るべき方法ではないね」

　ものの言い方が変に激さぬところが、文治の心に残った。

　だが、文治はまだ幸徳秋水が社会的にいかなる人物かは知らなかった。それが大逆事件の首謀者とみなされ、死刑になったと知って、只ならぬ存在であったことを改めて知った。

北上は、昨年幸徳が捕われて以来、「謀略だ」「謀略だ」と言いつづけた。文治も、あの幸徳秋水がテロに走るとは何としても信ずることが出来なかった。北上は文治に幾度か言った。

「桂太郎が第一次内閣の時、日露戦争を惹き起こした。それに真向から反対したのが幸徳秋水だった。第二次桂内閣において、謀略をもって幸徳を葬った。奴の心根は国民の誰もがよくわかっている」

幸徳秋水事件によって、文治は、今こそ父の長吉がどんな立場に置かれたか、なぜ監獄にぶちこまれたか、そしてその監獄から、長吉がなぜ脱走したか、ようやく実感として理解出来るようになった。

「あ、起きたかい。昼ご飯が出来てるよ」

キワが部屋に入って来た。

「ありがとう、母さん」

文治は答えた。

「へえー、お前、ありがとうなんて言うようになったのか」

「うん、まあな」

言いながら文治は、（ああ、そうか）と思った。北上の家庭は親切で、冷たさを感じさせるものは全くなかったが、やはり他人の家であったと今気づいた。文治はいちいち、北上の妻にも女中にも、朝の挨拶をし、夜は「おやすみなさい」と頭を下げた。「ありがとう」という言葉も、「すみません」という言葉もふんだんに使った。それらはわが家では、そう度々使う言葉ではなかった。昨夜から感じていたわが家の安らかさは、北上家の安らかさとは少しちがっていた。

顔を洗って卓袱台(ちゃぶだい)に向かうと、文治は二、三度咳をした。

「咳が出るのか」

「うん、時々ね」

卓袱台の上の若布の味噌汁と、ソイの刺身が懐(なつ)かしかった。

「朝から刺身とはごちそうだな」

「朝じゃないよ、昼だよ」

土瓶の番茶を、キワと自分の湯呑茶碗に注ぎながら恭一が言った。

「母さんたちはもう食べたの」

「ああ、もうすませたよ」

文治がまた咳をした。キワの眉がかすかにくもった。

「昼働いて、夜勉強するのは、やっぱり無理だったのかな」

「そんなことはないよ、兄さん」

言いながら文治は、キワの着ている浴衣が、三年前と同じ小菊の模様であることに気がついた。

「ちょっと疲れただけでしょう。すぐに治るよ、文治」

「うん。俺もそう思う。汽車に乗って疲れた筈なのに、飯がうまいよ」

「そうか、うまいか。それはよかった」

恭一がにこっと笑った。

「哲三は元気かな」

ソイの刺身が舌に快かった。

「うん、哲三は元気だ。あいつはのんきな奴だからな」

哲三は一昨年から北海道庁の給仕として札幌に出、夜は文治を真似て夜学に通っていた。

再び文治はソイを口に入れ、

「うまい、さすがはソイだ。北海道のタイといわれるだけのことはあるね」

「うまいだろう。東京より新鮮だからな」

安心したように恭一は目を細めた。

「ところでどうだ。お前やっぱり、東京で北上君北上君と呼ばれていたのか」

「そりゃそうさ。母さん、おかわり」

文治が茶碗を差し出した。キワは恭一とちょっと目を合わせ、うれしそうに盛りつけた。

「北上文治に馴れたか」

「うん、まあね。考えてみたら、たいていの女は嫁に行ったら苗字が変わるよね。いつまでも生家の苗字に執着しないのと、やや似ているよ」

「しかし、北上さんって、偉い男だな。ね、母さん」

「ほんとだねえ。たとえ戸籍上だけのことにせよ、誰が三人も他人の子を認知してくれるものかね」

「そうだ、そうだ、自分の子さえ認知しない人間もいる」

文治が言うと、

「何だお前、父さんのことを言ってるのか」

恭一がちょっと咎めるように言った。

「まさか。俺たちの父さんは只者じゃなかったよ。これは手紙にも書けなかったけど、あの幸徳秋水が父さんのことを知っていて、偉い男だと言ってたよ」

文治は秋水に会った時のことを二人に話した。

「ふーん。幸徳秋水とも知り合いだったのか」

「うん。これはしかし誰にも内緒だよ、兄さん」

「それはそうだ。なるほど。とすると、俺たちが北上の名に変えたことは、父さんも喜んでいるかも知れないな」

恭一たち三人が、北上に認知してもらうことを決意したのには、理由があった。明治の初年、徴兵制が施行された時、家の跡継ぎ、一人息子や一人孫などが、医師たちや二百七十円の金を支払った者たちなどと共に、徴兵免除になったという話を、恭一は役場の者から聞いて来た。そしてその時、役場の男は、

「私生児なんていうのはかわいそうなもんだよな。長男でも一人息子でも、兵隊に引っ張られて行ったらしいよ、よくはわからんけど。つまり、私生児には継ぐべき家がないとみなされたんだな」

これを聞いた時恭一は、事命に関わる徴兵においてさえ、そのような差別扱いをされるなら、今後自分たちの知らないところで、私生児なるが故に、様々な差別によって一生悩まされるにちがいないと、思ったのであった。

位牌

位牌

一

遅い夕食を終えた頃、雨が降って来た。風が窓を打つ度に雨の音が大きくなる。茶の間には順平、志津代、新太郎、タヨの四人がいた。志津代は炉端に坐って、自分と母のふじ乃の半襟を、長襦袢（ながじゅばん）にかけ替えていた。薄紫のちりめんの地に、濃紫の菊の刺繡の縫い取りのあるのはふじ乃の半襟で、とき色の地に朱色の縫い取りがあるのは、志津代の半襟である。

「ねえ、買ってえ。ふね、買って」

数え年五つにしては、背丈も大きな新太郎が、タヨの膝をゆすってねだっている。

「タヨは知りませんよ。旦那さまにお聞きなさい」

タヨは新太郎が生まれた年、子守りに雇われて来た。今ではもう五つにもなった新太郎の子守りの要はないが、そのまま下働きとして住みこんでいた。何年か勤めたミネが嫁入りしたからだった。

新太郎はちらりと父の順平を見た。順平は黙って、文机に向かって写経をしている。一年ほど前から、順平は暇さえあると写経をするようになった。やや背を丸めて、黙々と筆を進めている。志津代もちらりとその順平を見た。まだ四十九歳だというのに、五十を幾つも越したように志津代には見えた。一つ部屋に四人もいながら、妙に淋しい。ふじ乃が午後から留守なのだ。ふじ乃は十日に一度は花札をしに、昼間から外に出る。自分が勝つと、小料理屋で仲間たちに夕食を奢ってしまう。負けても勝っても、ふじ乃はいつも縞の財布を空にして帰って来た。

「ねえ、ふね買ってえ」

また新太郎がタヨに甘えた。新太郎は近頃妙なものを欲しがるようになった。ついひと月前には、ふじ乃がよく行く料理屋「あかね」の庭にある稲荷の赤い鳥居が欲しいと、ねだってきかなかった。自分の家が商家のために、新太郎がねだるものは何でも与えられた。何を欲しいとねだられても、ふじ乃が拒んだことはない。志津代も店の娘として育ったが、そうそう店の品物をねだったことはなかった。たくさんの品物が店にあるだけに、自分の口から、欲しいと言うことが憚られた。奇妙な遠慮があった。が、新太郎はちがった。本当に欲しいのか欲しくないのか、手当り次第にねだった。竹籠や、半纏(はんてん)まで、欲しいとねだった。一旦与えられると、見向きもせずに、翌日また他のものをねだった。

「お安いご用だよ」

ふじ乃はその度に、すぐに望みの品を新太郎に与えた。順平はそんなふじ乃にも、新太郎にも、何も言わなかった。それが志津代には不満だった。父はなぜ、母のすることに文句を言わないのか。そう思うことが度々ある。帳場の金庫から金をざっくりと財布に移し、まっ昼間から遊びに行くふじ乃を、なぜ黙っているのか。それも不満だった。最初はふじ乃に対して、ふじ乃の所業にだけ、咎(とが)める思いを持っていた志津代は順平をも咎めるようになっていた。黙々と写経などをしている順平を、好ましいとは思えなかった。

「新太郎」

志津代は少しきつい声で呼んだ。

「なにさ」

「舟なんか、子供にはいらないよ」

「いるよ」

新太郎は唇を尖らせた。ふじ乃に似たその新太郎の顔立ちは言いようもなく愛らしかったが、時に鼻先に狡猾(こうかつ)な表情が浮かぶのが気になった。それは、気をつけなければわからぬほどの表情だったが、志津代は気づいていた。

「子供はね、玩具(おもちゃ)の舟でいいの」

出入りの船大工が庭の池に浮かべる小さな舟を作ってくれたことがある。平たい木片に一本の帆柱を打ちつけただけの、簡単なものだったが、去年は新太郎も喜んでそれで遊んだ。が、今、新太郎が欲しいと言っているのは、磯舟だ。今日の午後、タヨの家の磯舟に乗せてもらってから、新太郎は磯舟を欲しいと言い出した。タヨの家の磯舟は魚臭いと言って駄々をこねた。赤い鳥居が欲しいと言った時は、さすがのふじ乃も手を上げて、

「あんな鳥居はね、子供のものにしたら罰が当るよ。狐にコンと食われるよ」

と、さも恐ろしそうになだめた。が、磯舟のことはまだ聞いてはいない。

「おもちゃのふねなんか、のれないもん」

新太郎はやや馬鹿にしたように言う。写経をしている順平の筆がちょっととまった。が、順平はそのまままた筆を運んだ。

「おっかさんは遅いわね」

志津代は紫の半襟をかけた長襦袢をたたみながら、柱時計を見上げた。九時半になろうとしている。いつもなら、遅くも九時には帰っている。志津代はふっと吐息を洩らした。新太郎は子供に似ず宵っ張りで、いつまでも眠ろうとしない。その大きな目は毎夜十一時頃までぱっちりとあいたままだ。新太郎は、順平には甘えない。子供心に順平を恐れている。そしてその分だけ、ふじ乃やタヨに甘える。志津代には甘えてみたり、恐れてみたり、なぜか半々だった。

「いいよね、おっかさんがかえってきたら、買ってもらうもん。ね、ねえや」

　新太郎はタヨの膝に白い頬をすりつけた。タヨは困って、

「すみません」

　と、誰へともなく頭を下げた。今日舟に乗せたばっかりに、磯舟をねだり始めた新太郎に、タヨは責任を感じているのだ。順平も志津代も相手にしないのを見て、新太郎は母に買ってもらうとタヨに言う。その新太郎を無視して、

「志津代」

　と、順平が顔を上げた。

「なあに？　お父っつぁん」

　志津代は、ちょうど半襟をかけ終わった自分の長襦袢をたたもうとしていた。

「山形屋の二番目が、帰っているってな」

　順平は優しく言って、硯箱にふたをした。志津代ははっと顔を赤らめてうなずいた。

「体を悪くしているって、本当かね」

「ええ、そうらしいけど」

「まさか、胸の病気じゃないだろうな」

　順平が濃い眉をかすかに寄せた。東京では若い者たちの間に肺結核がはやっていると聞

いている。いや近頃では、地方にも蔓延しつつある。死病と恐れられ、肺結核になった者には家も貸さぬ、行き来もせぬという世情である。つい先日も、留萌で結核になった男が、家主から家を追い出され、思いあまって一家心中をしたと新聞に出ていた。そんな記事を見ても、人々は結核患者を気の毒だと思うより、人に感染する業病にとりつかれたそんな人間は、罪深いにちがいないと忌み嫌っていた。親兄弟でさえ、肺結核患者の部屋には滅多に出入りしないという話を聞く。

「胸の病気なんかじゃないわ。脚気だって。八重ちゃんが言っていたわ」

八重の父は医者である。

「そうか、脚気か。それじゃ、まあ客商売には差し支えないわけだ」

順平はほっとしたように笑顔を見せた。この頃、順平の目尻の皺が深くなっている。新太郎はその二人の話にじっと耳を傾けている。まだ五歳の子供だというのに、大人の中に育った新太郎は、いかにも何もかもわかっているかのような表情で聞き耳を立てる。タヨが気をきかして、

「さ、台所に行きましょ」

と、新太郎の手を引いた。

「うん」

台所と聞いて、新太郎はにこっと笑った。子供らしい笑顔になった。台所に行けば、団子か水飴か、何か口に入るものがある。今日はサイが所用で出かけているから、つまみ食いをしても叱る者はいない。タヨに手を引かれて、新太郎が茶の間を去ると、順平は、

「本当に胸の病じゃないんだな」

と念を押すように言い、首を右に左にと曲げた。志津代はすぐに立って順平のうしろに行き、

「肩が凝ってるのね。もんであげるわ」

と、肩に手を置いた。炉端を隔(へだ)てて向かい合っているのが、志津代には恥ずかしかったのだ。

「胸じゃないんだろうな」

順平は三度尋ねた。

「脚気よ。すぐに治るわ」

「痩せたかね?」

「……知らないわ。まだ会っていないもの」

志津代は嘘を言った。文治が帰ってから半月ほどは会う機会はなかった。八重の話では、家のまわりをぶらぶら歩いていると聞いたので、そのうち店に買物に来るかと、志津代は

心待ちにしていた。だが、店に来るのは、いつもキワか恭一で、文治は顔を出さなかった。よほど自分のほうから山形屋の近くまで行って見ようかと思ったが、志津代にはそれも出来なかった。八重の家が山形屋の二軒置いて隣だから、八重の家まで何か用事をつくって行ってもよいのだが、志津代にはそれも出来ない。

文治には会いたかった。が、三年も会わぬうちに、文治の中にどんな変化が起きたか、志津代には知るよしもないのだ。東京に行く前の日、店に来て、志津代に焼きつくようなまなざしを見せて行った。胸の痛くなるような視線だった。あの時点では、確かに文治は自分を好いてくれていたと思う。だが東京に行って三年、葉書一枚来たわけではない。東京という大都会で、文治がどんな人に会い、どんなふうに成長して行ったか、志津代は知らない。環境の変らぬ苫幌に住む志津代の心が変らぬからと言って、文治にもそれを期待することは出来ない。会って再びあの激しい視線を見せてくれるかどうか、志津代には確信がないのだ。

(三年前は子供だった)

と、志津代は思う。十六歳と十三歳の少年と少女だった。今では自分も十六となり、いくつか縁談もないわけではない。十九歳になった文治は、もう立派な青年だろう。東京で夜学に通ったということだし、田舎に只忙しく生きている自分とは、ちがった世界に生きる人間になっているかも知れない。それを思い、これを思うと、文治に会うことが恐ろしかった。

その文治に、思いがけぬ所で志津代はばったり会った。二十日ほど前のその朝、志津代はなぜかいつもより早く目が覚めた。七月も末で暑くて寝苦しかったからかも知れない。志津代はふっと浜べに行ってみようと思った。浜までほんの二、三丁である。まだ夜が明けたばかりで、浜には漁師の姿もなかった。志津代は浜べに立って遠い水平線に目をやっていた。天売・焼尻の島が、正しく眉毛島と呼ばれるとおり、二つやさしく並んでいた。波の静かな朝だった。静かに渚に立って、志津代は大海原に対していた。その自分が、常よりも素直になっているのを志津代は感じた。そして再び歩き出した時、志津代ははっと息をのんだ。五、六間先に、白絣を着た文治を見たからだった。幻かと思った。突如そこに文治が現れたという印象だった。志津代は次の瞬間、文治を目がけて駆けていた。それは自分でもわからぬ素直さであった。

「文治さん!」

志津代は文治の前に立って、その名を呼んだ。文治は背丈も高く、肩幅も広くなっていた。見上げた志津代を見つめる文治の目は、あの日のように激しかった。志津代は口を半びらきにしたまま、その文治の目を見つめ返した。

「文治さん、元気なのね」

　文治は黙ってうなずいた。

「どうして手紙をくれなかったの」

　言ってから志津代はうつむいた。文治に手紙をくれなかったと恨むほどに、親しい間ではなかったのだ。が、文治は言った。

「手紙を待っていてくれたの。それじゃ、毎日でも書くんだった」

　出会いが突然だったためか、余りにも早朝の浜が静寂であったためか、二人は自分の心の中を自然な形で見せ合った。

　それから二人は二度、朝の浜べでさりげなく会っている。会ったと言っても、お互いの手紙を取り交わすだけなのだ。手を握るわけでもない。只顔を見合わせ、手紙を渡すだけで充分であった。それ以上のことを二人は望んではいなかった。

「文治君は、また東京に出て行くつもりかね」

　何か考えていた順平が言った。

「さあ」

「そうか、会っていなければ、わかる筈もないな」

　順平は、肩をもんでいる志津代の手を、二、三度軽く叩いて笑った。順平は二人が会ったことを知っているのだ。そっと足音をしのばせて朝の浜べに出て行く志津代の姿を、順平は一度窓から見ていたのだ。後をつけこそしなかったが、そのしのび出る姿に、順平は、もう子供ではない志津代を感じた。そして昨夜、サイがそっと順平に耳打ちした。

「山形屋さんの文治さんと、志津代さんは、朝の浜で立ち話をしてたそうですよ。二度ほど見かけたって、聞いたもんですから」

知らせてくれたのは、六十近い漁師で、口の固い男だからともサイは言った。

「志津代、お前もう文治君のことは、諦めたのか」

順平の言葉に、志津代のもむ手がとまった。

「脚気を治して、何とかこの店を継いで欲しいもんだな」

志津代の手がまだ動かない。

「脚気なら、すぐ治るだろう。麦飯を食えばいい」

「勉強の好きな人だから……」

「商売には向かないか」

志津代の手がゆっくりと動き始めた。

「しかし簡単に諦めることはないぞ、志津代」

優しい順平の声だった。

二

土間に足音が聞こえたかと思うと、紫の風呂敷包みを胸に抱えたふじ乃が部屋に入って来た。

「只今。新太郎は?」

遅くなったという挨拶など、ふじ乃はしたことがない。一度家を飛び出して、村中を騒ぎの中に巻きこんだ日以来、ふじ乃のすることを、順平は何一つ咎めなくなった。

「新太郎、新太郎」

ふじ乃の大きな声に、

「おっかさーん」

と、台所から走って来て新太郎はふじ乃の膝にまつわりついた。ふじ乃は風呂敷包みの中から、薄皮に包んだ赤飯を取り出して、

「ほら、新太郎の好きな赤飯だよ。あしたタヨに食べさせてもらいなさい」

「うん」

今、台所で串団子を食べて来たばかりの新太郎は大きくうなずいて、タヨにその包みを

渡した。

「タヨ、お茶。今日はつきがよくてね、おかげでみんなに奢ってやれたよ」

ふじ乃は横ずわりに坐った。順平は黙っている。志津代も相槌の打ちようがない。

「あのね、ぼく、ふねがほしいの」

新太郎がふじ乃を見上げた。

「舟？　棟梁に作ってもらった舟があったろう」

「ちがうの。のるふね。しまにのっていくふね」

舟という言葉に、新太郎はいちいち力を入れて言った。

「ふーん、乗る舟かい」

不意にふじ乃が声を上げて笑った。新太郎が驚いて目を丸くした。

「今日、うちの舟に乗せたものですから……。すみません」

タヨがおずおずと言った。

「なるほど、そういうことかい。それじゃ、今に、留萌から汽車に乗せたら、汽車を欲しいと言い出すよ、この子は。男の子はそのくらいでなくちゃね」

ふじ乃は再びのけぞるようにして笑った。笑うふじ乃を、新太郎は子供心にも不審に思ったのか、まじまじと見つめた。タヨが言った。

「うちの舟に、また乗せて上げるからと言ったのですが、新しい舟がいいって……」

「だって、あのふね、さかなくさいもん」

　新太郎が言う。ふじ乃は、黙々と文机の上を片づけている順平を見た。志津代も無言で長襦袢をふじ乃のほうに差し出した。それには見向きもせずにふじ乃が言った。

「新太郎、お父っつぁんに、舟が欲しいって言ったのかい？」

「うん、いったかもしれない」

　新太郎は首をひねった。

「なんだい新太郎、言ったかも知れないって……」

「うん、いわなかったかもしれない」

　新太郎は順平を内心恐れている。恐れていないまでも気安くものを言える存在ではない。黙っている順平に、ふじ乃はいら立った。少し酒も入っていた。

「新太郎、お前はこの家の総領息子だよ。何だい、舟の一艘や二艘、お父っつぁんが駄目だと言っても、おっかさんが買って上げる。舟のほかに、まだ欲しいものはないのかい」

「なんにもないよ」

　歯切れよくまくし立てるふじ乃にさすがの新太郎も気おされたように言った。どこか気弱そうな顔だった。志津代は不意に怒りがこみ上げてきた。今のふじ乃の言葉は、明らかに順平に向かっての挑みであった。順平は志津代にとって、思いやりの深い父である。その父がふだん、どれほど耐えているか、志津代は見て来た。店の者のいる前で、無造作に金庫から金を持って行く。しかもそれは、花札に賭けるためだ。あれでは店の者にも示しがつかない。順平は見て見ぬふりをしているが、もしあからさまに咎めたら、ふじ乃は決して黙ってはいまい。そう思うからこそ父は黙っているのだと志津代は思う。だから志津代もまた母に黙って来た。しかし新太郎は、鳥居が欲しいだの、磯舟が欲しいだのと言い出すようになった。そんな新太郎に、ふじ乃は、まだ何か欲しいものはないかとさえ言ったのだ。一方、文治に対する自分の想いを、優しく見守ってくれる順平は、志津代にとって今や一体的な存在だった。

「おっかさん」

志津代の声が高かった。

「何だい、大きな声で?」

「おっかさん、わたし今まで、何べん言おうと思ったか、わからないわ」

志津代の唇がふるえた。お茶をいれ終えたタヨが、新太郎を連れて、こそこそと台所に立ち去った。

「何を言おうってんだい、志津代」

　志津代は湧き立つ怒りを抑えて、

「おっかさん、わたし一度聞きたかった。どうしておっかさんは、店の者の見ている前で、お金をざっくりと持って行くの？」

「いいじゃないの。金はうちの金だよ。よそさまの金じゃなし」

「でもね、みんなが働いているまっ昼間から……そっと持って行けばいいじゃないの」

「へえー、お前、いつから親に意見出来るほど偉くなったの。何もわからない小娘のくせに」

　ふじ乃の言葉にいささかのあたたかみもなかった。

「おっかさん、わたし、小娘かも知れないわ。何もわからないかも知れないわ。でも、娘としておねがいしたいの」

　志津代は前垂れを膝の上で絞るようにして言った。ふじ乃は順平の顔を見つめながら、冷ややかに笑った。が、その視線を志津代に据えて、

「志津代、お前はおっかさんのことなど、これっぽっちも知ってはいないんだよ。おっかさんは、金が憎いんだ。わかるかい。どんなに憎いか。お父っつぁんならわかってる筈だ。ね、お父っつぁん」

　順平の顔が紅潮した。

「わたしはね、志津代。よく聞いておきなさい。貧乏な貧乏な家に生まれてね。生みの親か

ら芸者に売られようとした娘だよ。そんなわたしを、お父っつぁんが金で買ってさ、苫幌くんだりまで連れて来たんだよ。好きも嫌いもありゃしない。芸者になるよりはましだと思って、やって来ただけさ」

いまだ一度も志津代の聞いたことのない話だった。

「言ってみればお前のお父っつぁんは、おっかさんを苦界（くかい）から助け出してくれた恩人さ。だけどね志津代、おっかさんには自分の一生を狂わせた金が憎いのさ。商売なんぞ、どうだっていいの。金なんぞ一文も要らないの。おっかさんには、金より欲しいものがあるのよ。志津代にそれがわかるかい」

志津代は黙った。母が芸者に売られる話も、金で買われるようにして、順平のもとに嫁いだことも初耳だった。しかし順平は、まじめで働き者の心優しい夫ではないか。志津代にはふじ乃が只のわがままな女に見えた。世には、金のために売られる女が珍しくはない。そんな中で、芸者にならずにすんだことは、幸せではないか。志津代はそう言いたかった。

「おっかさん」

再び志津代が口を開いた。と、今まで黙っていた順平が言った。

「言うな志津代、何も言うな」

膝に置いた順平の手がぶるぶるとふるえていた。それを見ると志津代は、尚のこと黙ってはいられなかった。

「お父っつぁん、わたしに言わせて。わたし……わたし、言わせてほしいの、ね、おっかさんのこと、村の人が何と言っているか知っているの。おっかさんはわたしの大事なおっかさんよ。わたし、自分のおっかさんが悪く言われるのたまらないの」

志津代の言葉に、順平もふじ乃も黙った。

「いいえ、世間の人が何を言っても、わたし、おっかさんが好きだわ。でもね、おっかさん、なんぼお金を憎んでいたとしても、新太郎に、何でも与えることはやめてほしいの。欲しいものが何でも与えられるって、新太郎にいいことだと思ってるの。僅か五歳の子が、磯舟が欲しいなどと言い出して……。五つの子に何でもやっていたらどうするの。甘ったれた、こらえ性のない人間になることだけはまちがいないわ」

「…………」

「いったいおっかさんは、新太郎にどんな人間になってほしいと思っているの。新太郎を本当にかわいいと思ってるのかいないのか、わたしにはわからないのよ」

不意にふじ乃の口が皮肉に歪んだ。それがまたふじ乃を凄艶に見せた。

「おや、そう。じゃ、お父っつぁんとおっかさんは同じじゃないか。お前、お父っつぁんが、新太郎をほんとにかわいがってると思ったことがあるかい」

　志津代は返答に詰まった。確かに順平が新太郎を心からかわいがっているようには見えなかった。もともと順平は、口数の少ない人間だった。無駄なことは言わない人間だった。それでも志津代には優しい父親だった。その優しさは黙っていても伝わってきた。だが順平と新太郎の間には、その流れがないように見えた。

「そりゃあ、お父っつぁんだって悪いと思うわ」

　志津代は無理にそう言わねばならなかった。

「お父っつぁんは、おっかさんが何をしても黙っている。新太郎が何を欲しいと言っても、叱ったことがない。お父っつぁんもおっかさんと同じだわ」

　順平は黙って、少しぬるくなった茶を口にふくんだ。

「利口者だよ、志津代は。お父っつぁんもわたしも同罪というわけかい」

　ふじ乃はかすかに笑って、

「志津代、お父っつぁんはね、新太郎が生まれた時、何と言ったと思う？」

　志津代はうっかり答えることが出来ない。

「この家の跡継ぎは志津代だ、と言ったんだよ。お前も知ってのとおりさ」

　順平は吐息を洩らした。大きな吐息だった。肩で大きく息をしている。それがいかにも苦しそうであった。志津代は自分がつまらぬことを言い出したように思われて悔やんだ。

「どうしてだい。初めての男の子を跡継ぎにしないってのは、どういうことだい。そりゃあね、年はお前より、十以上も下だよ。しかしね、総領は総領じゃないか。どうして後を継がせて悪いんだい。どうしてそんな不公平なことをしようとお父っつぁんはするんだい。言って見れば、この家のかまどの灰まで、新太郎はもらう資格があるんだよ。何さ、小舟の一艘や二艘、安いもんじゃないか」

志津代は初めて、自分がいてはならぬ場にいるのを知った。この家の跡継ぎはお前だと言われて、別段不審にも思わずに来たが、母はそのことに腹を据えかねてきたのだ。自分がこの店を継ぐことは、新太郎の権利を侵すことになる。志津代は、遠からずこの家を出るべきなのだと悟った。

「わかったわ、おっかさん」

志津代の声が変に静かだった。

「わたし、この店を継いだりはしないから、心配しないで。それでいいでしょ、ね、おっかさん」

感情的な声ではなかった。が、ふじ乃の顔がこわばった。

「馬鹿だよお前は。お前が出て行って、それですむことじゃないの。ね、お父っつぁん」

順平は首筋に流れる汗を、懐（ふところ）から出した日本手拭いでぐいと拭いた。

「どうして？　わたしさえ跡を継がなければいいんでしょう？」

「志津代、わたしが言ってるのは、そんなことじゃないよ。お父っつぁんがなぜ新太郎に家を継がせまいとしたか、そのことなんだよ」

「どうしてなの？　お父っつぁん」

訝しげに志津代は尋ねた。これほどものわかりのいい父親が、どうして総領の新太郎を跡継ぎにしないと宣言をしたのか。今までそのことに、格別疑問を抱かなかった自分も迂闊だったと思いながら、志津代は尋ねた。順平は再び首の汗を拭いて、低い声で言った。

「いつか、わかる」

「いつか、わかる？　どういうこと、お父っつぁん」

順平はかすかに首を横にふった。

「水」

苦しげに順平は言った。が、志津代はすぐには立たずに、

「ね、教えて、お父っつぁん、今教えて。どうしてわたしに跡を継がせると言ったのか、今教えて」

順平はふらふらと立ち上がった。

「あんた、逃げるの？」

ふじ乃の声が鋭かった。

「疲れた」

　順平はそう言ったまま、襖をあけて寝室に入って行った。

（いつか、わかる）

　その「いつか」とはいつのことなのか。志津代が思った時だった。どたりと、大きな音が寝室から聞こえた。

「どうしたのかしら？」

　思わず志津代が立ち上がった。

「どうもしないよ」

　まだふじ乃の顔はこわばっている。

「でも……」

　水が欲しいと言っていたことを思いながら、大きな音のした父母の寝室の襖を、志津代はあけた。

「あっ！　お父っつぁん！」

　志津代は思わず叫んだ。サイの敷いてあった布団の上に、仰向けに順平は倒れていた。

「おっかさん！　お父っつぁんが！」

「お父っつぁんがどうしたって？」

のぞきこんだふじ乃も、あわてて駆け寄った。順平は目をあけたまま、まばたきもしない。

「あんた、あんた!」

ふじ乃の声が悲鳴に似ていた。明らかに順平はこと切れていた。ふじ乃は、次の瞬間、タヨの名を呼び、小僧の名を呼んだ。タヨが駆けこみ、ころがるように小僧たちが二階から下りて来た。　一人が八重の家に飛び、他の一人が番頭の家に飛んだ。

診察鞄を小脇に、息急き切って八重の父が駆けつけたが、詮ないことだった。その間中、志津代は只呆然と、順平の枕もとに坐っていた。自分が父を殺したと思った。母と二人で責め殺したような気がした。

「馬鹿! 馬鹿!」

ふじ乃はうわごとのようにそう言って、順平の肩をゆさぶった。

「たった今まで生きていて、何も死ななくてもいいのに。馬鹿! 馬鹿!」

乱暴に肩をゆさぶるふじ乃の姿は、人々の涙を誘った。ふじ乃は取り乱していた。

「生かして! 生き返らせて!」

八重の父に哀願するように言ったかと思うと、

「わたしが悪かった、わたしが悪かった」

と、泣きくずれた。志津代は、ぼんやりとそれらのことを眺めていた。

（いつか、わかる）

父はそう言い、最後に水を求めた。その求めた水を、自分は無視した。そのことが志津代の心をいつまでも責めつづけた。

三

文治は台所の床に雑巾がけをしていたが、ふっと手をとめて窓の外を見た。澄み切った秋晴の空だ。浴室のほうから湯涌のぶつかり合う音が高く響いてくる。恭一が浴室の掃除をしているのだ。キワは客間の障子にハタキをかけている。昨夜の泊り客四人が発(た)って行って、急に静かになった。このひと時の空気が、文治は幼い時から好きだった。客のいる時とは全くちがって、のんびりとした空気なのだ。家族それぞれが掃除に取りかかるのだが、それが少しも気忙(きぜわ)しくはない。鼻歌をうたいたいような心地だ。

「こんにちは」

廊下の柱時計が十時を打ち終わった途端に、台所の戸口に声がした。床を拭く手をとめて顔を上げると、思いがけずカネナカの番頭嘉助が、愛想のよい笑顔を見せていた。文治は思わず膝を正した。

「お内儀さんはおいでかね」

尋ねる嘉助のうしろに、見馴れぬ人影があった。折よくそこにキワが入って来た。

「おや、番頭さん、お珍しいこと」

キワは青いたすきを素早く外しながら、床板にひざまずいた。確かに番頭の嘉助がこの家に顔を見せることなど、滅多にない。正月の年始か、泊り客のための特別の用事がある時ぐらいだ。と、うしろにいた人影が、嘉助の横に並んだ。二十三、四の、口のきりりとひきしまった若者だ。ややあごが張って、いかつい感じはするが、笑顔になると、のぞいた白い歯が清潔だった。

「お内儀さん、これはわしの甥っ子の、梶浦三郎と申しましてな、今日からカネナカに働くことになった者です。よろしくお願いいたします」

嘉助はいつもより愛想よく頭を下げた。文治ははっとした。何かは知らぬがいやな気がした。

「まあ、それはそれは。こちらこそよろしくお願いいたします」

キワがていねいに頭を下げて、

「ところで、どちらから?」

苫幌では見かけぬ顔だ。

「へえ、今まで札幌の雑貨屋に勤めておりまして……」

三郎の物腰や言葉づかいは、もう一人前の商人になっていた。

「こいつは小学校を出てから、もう十年近く勤めておりましてな。なんせ、旦那さんが急なことで、一時はどうしたものかと動顛しましたがな、お内儀さんと相談して、こいつを呼ぶことになったわけで」

あがりかまちに腰をおろして、嘉助は煙管を手に取った。キワはすぐに煙草盆を差し出し、

「それはそれは、お内儀さんも安心ですね」

と、嘉助と三郎を半々に見た。

「へえ、お内儀さんが大変喜んでくれましてな。ぜひとも皆さんにご挨拶させよと申しますんで、主なお得意さんだけ、こうして伺ったわけで……」

確かに旅館である山形屋は、時に大きな買物をする。網元などには到底及ぶべくもないが、顔役の畳屋や、風呂屋よりも大きな得意先であった。

「そうですか、これはごていねいに」

キワは再び頭を下げて、

「これが次男の文治です」

と紹介した。文治はまっすぐに三郎を見て、

「文治です。よろしく」

と、頭を下げ、

「母さん、兄貴を呼んで来るよ」

と、廊下に出た。文治は明らかに三郎に対して敵愾心を抱いているのを感じた。順平が死んでから、まだ四十九日も来ない。すぐにカネナカにならなくてはならない存在になるものと思われた。

(もしかしたら……)

志津代の顔が目に浮かんだ。それをふり払うように、浴室の入口に立って恭一を呼んだ。この沿岸界隈には珍しいと言われる大きな湯殿だ。十畳の広さはある。窓を開け放って、五つ六つ湯涌を並べて洗っていた恭一が、文治に顔を向けた。

「なんだ?」

「カネナカの番頭さんが……」

終りまで言わぬうちに、

「わかった」

と、恭一は大股に立って来た。が、文治はそこに突っ立ったままだった。一緒に台所に戻る気はしなかった。順平が死んで四十日ほどになる。順平の葬式は、いかにもカネナカの主にふさわしい大きな葬式だった。それは単にカネナカが金持だからというだけではなかった。

「仏の順平さんが本当の仏になった」

風呂屋のお内儀森下ハツが、通夜の席で、何人もの村人たちにそう言っては泣いた。それが村人たちの実感でもあった。確かに順平は客の誰にも頭が低かった。頭が低ければ低いほど、不思議に貫禄も備わって見えた。カネナカは雑貨屋である。米、味噌、醤油、菓子、衣類、その他荒物等々、日常必要とするもののほとんどを扱っていたから、村中の誰もが順平とは顔馴染みだった。いつカネナカを訪れても、順平が店にいなかったためしはない。その順平が急死した。あっという間に、村人たちの前から姿を掻き消した。それは村人たちにとって大きな衝撃だった。順平が死んだことを、子供たちさえ信じかねるほどに惜しんで嘆いた。その思いが、葬列となったかのように、長い長い葬列だった。村人の誰もが、野辺の送りに争って加わった。村で唯一軒の雑貨商カネナカは、村人の楽しいたまり場でもあった。慰めの場所でもあった。

子供たちが親の使いで買物に行けば、必ず飴玉の一つや二つ、駄賃にもらった。悩みごとを語れば、辛抱強く、うなずきうなずき聞いてくれ、

「そうかいそうかい、あんたもずいぶんと苦労をしてるんだねえ」

と共感してくれる順平だった。若者たちにしても、子供の頃にもらった飴玉の味は忘れない。葬儀の日、長い葬列に加わる人々はむろんのこと、家の前に群がった老人や子供にまで、小箱の葬式饅頭がふるまわれた。留萌の菓子屋何軒かが、不眠不休で間に合わせた

という葬式饅頭だった。

文治はその葬列には加わらなかった。母のキワが通夜にも葬儀にも顔を出した。恭一も手伝いに行った。恭一はキワに庖丁の使い方はむろんのこと、料理一般を仕込まれていたから、台所の女たちにまじって、采配をふるった。だが文治は、道端の木蔭で、身を隠すようにして葬列を見送っただけだった。ふじ乃も志津代も、純白の着物を着、純白の頭巾をかぶっていた。ふじ乃はしゃくり上げ、しゃくり上げ、子供のように泣いていた。が、志津代は放心したように、目がうつろだった。瞼は腫れ上がってはいたが、どこを見るともなく、おぼつかない足取りで歩いていた。その志津代を見た時、文治は父の長吉の死んだ時の悲しみを思い出した。文治は八歳だった。恭一が十歳、哲三が五歳、そして長吉は三十六歳だった。たった一夜の苦しみで死んだ長吉に取りすがって泣いたあの時の辛さは、誰にも訴えようのない辛さだった。が、順平は話している最中に死んだと、文治は聞いた。一夜の看病もせずに死なれては、それもまた言いようのない悲しみであろうと、文治は遠ざかる葬列を見送りながら思った。

(俺のおやじも、志津代の父親も、不意に死んだ)

それが文治には何か不思議に思われた。自分と志津代が、悲しみを分け合うために同じ運命に置かれたような気がした。

葬式がすんでから、様々な噂が文治の耳にも入ってきた。その第一は、例によって森下ハツによってもたらされた。

「ちょっと、ちょっと、カネナカの旦那は首を吊ったんじゃないかと、もっぱらの評判だよ」

息を弾ませながら、ハツはそう言いにやって来た。文治の疲労が次第に癒されていっている頃だった。文治は、キワや恭一と、客間の障子の張り替えをしていた。

「自殺？　どうして？」

恭一が大きな声で聞き返すと、ハツは俄かに声をひそめて言った。

「お内儀さんが、店の金を持ち出して、賭けごとに夢中になっていたでしょう。それを旦那が怒ってさ、二人の仲がうまくいかなかったらしいんだよ。何せあの優しい旦那だからね。その上まじめだし、くよくよ考えこんだんじゃないのかねえ」

だが、この自殺説はまもなく消えた。八重の父が、寺に寄り合いがあった時、明言したというのである。

「カネナカさんの死因について、あれこれ取沙汰されているようだが、カネナカさんは首などくくっちゃいない。首をくくれば、必ず締め跡が赤く首に残るものだ。あれは脳卒中だ」

この後で、すぐに次の噂が流れた。それはハツの仲間の畳屋の妻が伝えに来た。

「お内儀さんと旦那の間に、別れ話が出てたってそうじゃないか。それで旦那は、ずいぶん思い悩んだらしいよ。何せ毎晩お経を写して心を静めていたという話だからね。その別れ話で卒中を起すほど、くたびれていたんじゃないのかね」

だがその噂もいつしか消え、誰言うとなく、ふじ乃と夫婦喧嘩の最中に死んだと言う者や、いいや、志津代とふじ乃が喧嘩をしたのだと言う話が聞こえてきた。キワは、それらの話を聞く度に、

「あんまり急だったから、みんなが勝手に臆測するんだねえ」

と、気の毒そうに言った。キワは聞いた話は自分の口から流すことは決してなかった。

だが文治は心の中で、やはり何かがあったにちがいないと思っていた。それは志津代の打撃が余りに大きいのを感じ取ったからである。朝早く浜に行けば、時には見ることの出来た志津代の姿が、あれ以来全く見かけることがなくなった。自分にだけはその悲しみを打ち明けてくれそうなものだと、文治は心ひそかに待っていたが、その気配は全くなかった。文治は内心不安が募っていた。それは、父を失ったことによって起きる志津代の家の事情の変化が、思いやられたからであった。順平が死ぬ前、志津代は二度目の手紙にこう書いてくれた。

〈お父っつぁんは、わたしの心の中を見透しているようです。朝、そっと浜に出て行くわたしに、お父っつぁんだけは気づいています。それがわたしには、恥ずかしくもあり、うれ

しくもあるのです〉

文治はその手紙の中に、自分に対する順平のあたたかさを感じた。志津代にしたところで、順平の視線はたのもしいものであったにちがいない。だが順平の急死は事情を一変させたかも知れないのだ。

浴室の入口に突っ立ったまま、文治は梶浦三郎の突然の出現に心乱れていた。

うしろに恭一の足音がした。

「何だいあの男は?」

恭一はぶっきらぼうに言って、再び浴室の掃除を始めた。

「番頭さんの甥だってさ」

「甥はわかっているけど、あいつ、ことによったら志津代の婿になるかも知れないぞ」

「…………」

「お前、どうする気だ?」

何もかものみこんだ恭一の言葉だった。

「文治、あの番頭は忠義者だ。まさか自分の甥を志津代の婿に押しつけようと思って、呼んだわけじゃないだろう。旦那に死なれて、何とか急場を救おうと思って、無理矢理呼び寄せたんだろう。だがな、それだけですむか、どうかだ」

「…………」

「何しろ男と女が一つ屋根の下に住むんだ。危険だぞ」

文治はちょっと恭一を見た。男と女が一つ屋根の下に住むのは危険かも知れないが、志津代の気持が簡単に動くとは思いたくなかった。が、あの三郎を見た途端に、いやな心地がしたその実体が、形になるのを文治は感じた。

「ま、よく考えとけ。お前もそろそろ普通の体に戻ったようだから、このあと東京に行くか、苫幌に腰を据えるか、よくよく考えたらいいと思うな」

文治は黙ってうなずいた。その足もとの日だまりに秋の蠅が二つ三つ、じっと動かなかった。

牌位

四

「志津代、志津代」

店と茶の間の板戸をあけて、ふじ乃が忙しく志津代を呼び立てた。志津代はぼんやり炉端に坐っていた。炉にかけられた南部鉄瓶の湯が沸(たぎ)っている。いつも順平が座っていた場所には生前どおり紫のちりめんの座布団が置かれてあった。父に死なれて日が経つにつれ、志津代の淋しさは深まっていった。

(どうしてお父っつぁんは、おっかさんを甘やかしていたのだろう)

(どうして新太郎をかわいがらなかったのだろう)

(あの夜、わたし、どうしてお父っつぁんが「水」と言ったのに、急いで水を持って来て上げなかったのだろう)

考えても戻らぬことを、志津代は今日もぼんやりと考えていた。

あの夜、自分が母にたてつかなければ、母を怒らせ、父を興奮させはしなかったと思う。それでなくても、父の肩は石のように凝っていたのだ。自分が殺したようなものだと思う。悔やんでも悔やんでも志津代は悔やみ切れなかった。

初七日の席で、網元のお内儀が、タヨやサイに言っていた言葉は、今も志津代の胸に重くのしかかっている。

「昔からねえ、わたしの家じゃ、枕もとに水を置いて寝るんだよ。ほんとかうそか知らないけど、夜中に苦しくなった時、その水を飲むと楽になるんだってさ。水が濃くなった血をうすめるんだってさ」

志津代の家では、枕もとに水を置く習慣はなかった。従って、その水が命を救うほどの働きをするとは、志津代は知らなかった。が、知らなかったとは言え、あの夜順平が「水」と言った時、なぜ素早く水を持って行ってやらなかったかと、悔いても悔いても悔い切れない。その思いが自分を責めると共に、ふじ乃や幼い新太郎にも、つい鉾先を向けることになる。

(そもそもはおっかさんが悪いんだわ。おっかさんがわがままだから、お父っつぁんはあんな死に方をしたんだわ)

(新太郎のことだって、甘やかしたおっかさんが悪いんだわ)

(鳥居だの舟だの欲しいなんて、新太郎はわがままが過ぎる)

志津代は順平が死んでから、ほとんど家から外に出ない。四十九日の間は死者の魂が家から離れないと聞いて、志津代はその家から自分もまた離れまいと思って来たのだ。いや、たとえ順平の魂がどこにあろうと、悲しみにうち沈んでいる志津代は、外に出る気になれなかった。毎日通っていた裁縫所もずっと休んだままだ。時折文治には会いたいと思う。だが、会えば、自分は激しく泣くばかりだと思う。朝の浜辺で、会うなり泣かれては、文治もたまらないだろうと思えば、会いに行くことも出来ない。

（どうして人間は死ぬんだろう）

肉づきも血色もいい順平の突然の死は、志津代を今まで考えたこともない世界に誘いこむ。

（お父っつぁんはどこへ行ってしまったんだろう）

やがて自分にも死ぬ日が来るにちがいない。母のふじ乃も、新太郎も、そしてあの文治も、いつかは死んで行く。それが志津代には不思議だった。生きている者が、なぜいつまでも生きていることが出来ないのか。それが何とも不思議だった。人はどこから来てどこへ行くのか、それも不思議だった。死後も果して本当に魂だけは生きているのか。その魂は、どんな形をし、誰の導きで極楽とか地獄とかに行くことが出来るのか。一日坐っていても、思うことは次から次へとあふれ出た。

そんな志津代とは反対に、ふじ乃は生き生きとして見えた。いや、生き生きというより、気が張っているというべきかも知れなかった。朝、洗面をすますと、ふじ乃は小さな赤い

お膳に、ご飯や味噌汁やお茶などを並べて仏前に供える。そして、長い間念仏を唱えているかと思うと、

「あんた、どうして死んでしまったの」

と涙声になり、肩をふるわせたりするのだが、すぐに笑顔になり、朝の食卓に向かう。

食事が終わるや否や、店に出てくるくるとよく働く。客を迎える声も送る声も、一段と愛嬌がよく、この家の主人が死んだばかりの店とは思えない。店に来る人々の中には、そんなふじ乃を見て、

「旦那が死んで、頑張っているんだな」

と、痛々しげに言う者もあれば、

「亭主が死んで、お内儀さん、ぐっと若やいだぜ。三十後家が立つかなあ」

と、陰口を叩く者もいた。

今もふじ乃は明るい声で「志津代」「志津代」と呼び立てていたが、

「おや、いらっしゃい」

と、板戸を閉めて店に引き返した。厚い板戸越しに、ひとしきり客たちと笑うふじ乃の声がした。と、間もなく、

「お嬢さん、お内儀さんが……」

と志津代の傍らに膝をついたのは三郎だった。三郎がこの家に住みこむようになって、四、五日になる。きびきびとした礼儀正しい若者である。だが志津代は、何とはなしに三郎がうとましく思われた。いや、それは三郎であってもなくても同じことだ。死んだ順平の見知らぬ男が、この家に入りこんだというだけで、何かうとましいのだ。

「お前、お父っつぁんの許しを得て、この家に入ったの」

と、言いたいような気がするのだ。三郎がこの家に住みこむについては、ふじ乃から聞かされてはいた。

「今度ね、志津代。若い者が住みこむからね。嘉助の甥っ子だそうだよ。本当に助かるよ。ね、志津代」

話はそれだけだった。どうやら番頭の嘉助とふじ乃が相談した結果、決まったことらしい。札幌の店に十年勤めて、そろそろのれん分けでもさせてもらえるかという矢先だったとか。

「願ってもない話さ」

ふじ乃は幾度かそう言ったが、志津代は三郎に笑顔を見せる気にはなれない。

黙って湯の音のする鉄瓶を見つめている志津代に、三郎がおずおずと言った。

「衣倉(きぬぐら)にわたしを案内して下さるようにとのことですが」

「衣倉？　鍵なら番頭さんが持ってるわ」

抑揚のない志津代の声だった。

「へえ。鍵は預って参りました」

懐から三郎は衣倉の鍵を出して見せた。順平が度々志津代を倉に誘って、三つの倉それぞれの様子を教えてくれたから、志津代にも案内出来ないわけではない。が、志津代は、何も自分がこの三郎に衣倉の案内をすることはないような気がした。それはむしろ、嘉助かふじ乃のなすべき仕事のように思われた。

「衣倉の何を探すの？」

「いいえ、中の様子を教えて下さればよろしいんで」

ますます自分がすべきことではないと思ったが、志津代は黙って立ち上がった。

庭先の花畠で、タヨが仏壇に供えるためのエゾ菊を切っていた。手伝うつもりか、新太郎が小さな手で花を手折っている。が、余りに短く手折るので、花の首をちぎっているように見えた。

「新太郎、倉に行こう」

志津代が声をかけた。新太郎はにこっと笑って、

「うん」とうなずいたが、

「おとっつぁんに、おはなをあげるの」

と、動こうとしない。薄暗い倉の中など、子供の新太郎が好きなわけはない。だが、新太郎が志津代について来ないのは、タヨといるほうが気楽だからだ。タヨはふじ乃と同じで、新太郎の言うままになる。志津代は軽く日和下駄の音を立てながら、三郎の先に立った。が、倉の前に来ると、不意に胸が熱くなった。今まで倉に来る時は、いつも順平と一緒だった。いつか順平は、倉の中で志津代をしっかりと抱きしめ、

「志津代、志津代はわしの子じゃ、わしの子じゃ」

と泣いたことがある。それを不意に志津代は思い出したのだ。あの時、文治が好きだと見破られたことも、まざまざと思い出された。志津代は三郎に言った。

「あんた一人で、倉を調べて。わたし帰る」

みるみるうちに、志津代の目に涙が盛り上がった。呆気(あっけ)に取られる三郎を背に、母屋(おもや)を目がけて駆け出した。三郎の何か言う声も耳には入らなかった。

翌日、ふじ乃が新太郎を連れて寺に出かけた。四十九日の法要の打合せのためだった。

昼下がりのひと時、店はひっそりと静まり返ることがある。客足が途絶えるひと時がある。今もそうだった。

「志津代ちゃん」

嘉助が志津代を呼んだ。志津代は仏壇の前にぼんやりと坐っていた。ともすれば寝室か

ら襖をあけて、父の順平が姿を見せそうな気がする。炉端にちょっと背を丸めて坐っているような気がする。死んだからといって、仏壇に順平がいるような気はしなかった。

　嘉助は、位牌に向かって手を合わせてから、志津代に向かって言った。

「志津代ちゃん、ちょっと話があるんですがな」

「なあに？」

　冴えない顔を志津代は嘉助に向けた。いつか順平に、嘉助が好きかと尋ねられて、

「好き。信用出来るもの」

　と答えたことがある。順平は志津代を、人を見る目があるとほめてくれた。

「朝夕めっきりと冷えますすな」

　嘉助はすぐには用件を切り出さずにそう言った。志津代はうなずいた。盆の頃には、この辺りでは涼風が立つ。九月も十日を過ぎれば、涼しいというより肌寒い朝夕となる。

　嘉助は軽く咳払いをした。何か言い出そうとして、気軽には言い出せないようであった。

「どんな話なの？」

　志津代が促すと、

「いや、志津代ちゃんがあんまり沈んでいるんで、わしも心配でしてな。何と言っても、志津代ちゃんはこの家の跡継ぎですから。そろそろ元気を出してもらわないと」

「跡継ぎ？　跡継ぎは新太郎よ、番頭さん」

　志津代は順平が死ぬ夜の、ふじ乃の言葉を忘れてはいなかった。ふじ乃は言ったのだ。

「どうしてだい。初めての男の子を跡継ぎにしないってのは、どういうことだい。そりゃあね、年はお前より、十以上も下だよ。しかしね、総領は総領じゃないか。どうして跡を継がせて悪いんだい」

「言ってみれば、この家のかまどの灰まで、新太郎はもらう資格があるんだよ」

　激したあの夜のふじ乃の声が、矢のように胸に突き刺さっている。そのふじ乃に、志津代は答えたのだ。

「わたし、この店を継いだりはしないから、心配しないで。それでいいでしょ、ね、おっかさん」

　確かに志津代は、あれ以来店を継ぐ気を失っている。だがふじ乃は言った。それですむことではないと言い募った。問題はなぜ順平が新太郎に家を継がせまいとしたか、そのことなのだとふじ乃は言った。この二人のやりとりを聞きながら、順平は苦しげに首筋の汗を拭いていた。どうして新太郎に家を継がせぬかと訪ねた志津代に、

「いつか、わかる」

　と、順平は低い声で答えた。そしてその直後、「水」、と順平は水を求めたが、志津代は「いつか、わかる」という言葉を承服しかねて、なぜ跡継ぎを自分に決めたか、今すぐ知ら

せよと迫ったのだ。順平はそれには答えず、疲れたと言い、寝室に逃れるように入って行き、不意にどっと倒れた。あの夜の母と自分の言葉が、どれほど父を苦しめることであったのかと、志津代は幾度も思い返して来たのだが、今またそれを思った。

「志津代ちゃん、わしは旦那さんにくれぐれも言われておりました。この家の跡継ぎは、志津代にさせてくれと。志津代ちゃんは跡を継がないなんて、言っちゃいけません」

「でも、おっかさんは、どんなに小さくても総領は総領だって、お父っつぁんとわたしの前で言ったわ。わたしもおっかさんの言うことは、もっともだと思うわ」

志津代は今、番頭の嘉助に自分の不審を訴えてみたいと思った。

「そりゃあ、お内儀さんのおっしゃることもわかります。けどな、お内儀さんは旦那さんの亡くなった後、気持ちが変わったんですわ」

嘉助の小さな金壺眼（かなつぼまなこ）が、じっと志津代の顔をのぞきこんだ。

「どうして？　おっかさんは、この家のかまどの灰まで新太郎のものだと言ったのよ。あれがおっかさんの本当の気持ちよ」

嘉助は頭を横にふって、

「ちがいます。お内儀さんは、そんな気はさらさらなかったんです」

「どういうこと？」

「いつか、わかります」

「いつかわかる？　お父っつぁんとおなじことを番頭さんも言うのね」

志津代はふっと無気味なものを感じた。なぜ新太郎ではなく自分が跡継ぎにされるのか、その陰に何かがひそんでいるような気がする。一体、何がひそんでいるのか、それが志津代にはわからない。

「志津代ちゃん。こうしてわしが旦那さんの御位牌の前で志津代ちゃんに言っているんです。とにかく旦那の跡を継いで下さいよ」

「いやよ。なぜ新太郎に継がせないのか、わからないうちはわたしお店に出ないわ」

嘉助は大きく吐息をついた。が、位牌をじっと見つめると、その視線を再び志津代に向けて、別のことを言った。

「志津代ちゃん。三郎はわしの身内ですが、役に立つ奴です。目をかけてやって下さい」

「…………」

三郎のことなど、今の志津代にはどうでもよいことであった。

「三郎は、札幌の大きなお店(たな)で奉公してきました。一生この店に身を捧げたいと言っています。目をかけてやって下さい」

嘉助は繰り返した。志津代はそれには答えず、

「ねえ、どうしてわたしがお店を継がなきゃいけないの？　わたし、この家を出てどこかにお嫁に行くつもりよ」

　文治の顔が浮かんだ。

「そんな！　それじゃあんまり旦那さんがかわいそうだ」

「かわいそう？」

「そうです。かわいそうです。旦那はそのことで、どれほど苦しんだか、このわたしにはよくわかる」

「わたしには何が何だかわからないわ。どういうことなの」

「わかりませんか、志津代ちゃん。いや、まだ十六じゃわかるわけもない。旦那さんも明かさなかったことだ。このわたしが語ったとあっては申し訳がない」

　嘉助の目に光るものがあった。志津代の胸が波立った。何も聞かなくてもいい。嘉助が言うように、いつかわかる日まで、何も問わずにいるべきかも知れない。志津代はそう思った。だが一方、ふじ乃のあの夜の言葉が胸に突き刺さっている。これは番頭に聞かずに、母に尋ねるべきではないか。嘉助も母も知っていて、自分だけが何も知らない。それでは跡を継ぐわけにはいかないと志津代は思った。しかし、父の遺志を思えば、今自分は黙って跡継ぎになるべきなのかも知れない。志津代の心は揺れた。

じっと黙りこんだ志津代の姿を嘉助は見つめていたが、ひとつ大きくうなずくと、仏壇に向かって手を合わせた。そして改めて志津代の顔を見、

「志津代ちゃん。それじゃ旦那さんのお許しを得て、わたしが事を明かしましょう。志津代ちゃんももう婿を取って恥ずかしくない年頃だ。立派な大人だ。大人の世界のことをわかっていてもいいかも知れません」

「………」

志津代は不意に、何も聞きたくないような気がした。が、どうせいつかはわかることなら、今聞いておくべきかも知れぬと思った。

「本当は、これはお内儀さんの口から聞いて頂いたほうがいいんだが……志津代ちゃん、決してお内儀さんを責めちゃいけませんよ」

嘉助は志津代をじっと見つめたまま、念を押した。志津代はうなずいた。

「新太郎ちゃんは、この家を継いではならぬ子なのです。いや、継がせてはならぬ子なのです」

志津代は、はっと嘉助の顔を見た。

曲がり角

曲がり角

一

　文治は袷の裾をからげて、玄関の前の落葉を竹箒で掃き集めていた。昨夜の強風で引きちぎられたナナカマドや胡桃の葉が、少し色づいている。木製の大きなちり取りに落葉を掻き集めて、文治は野菜畠の片隅に運んで行った。キワが丹精のタイナや長葱が短い畝に並び、もう終りになった茄子がまだ幾つか実をつけている。赤いナンバンが秋日に光っているのも、今日はなぜか淋しい。文治は目を上げて北東の空を見た。天塩山脈が紫紺色に遠くつらなっている。

　竹箒を持ったまま、文治は志津代のことを思った。順平が死んで、四十九日の法要も三日前に過ぎた。少しは元気になったろうかと気がかりなのだ。気がかりなことはほかにもあった。番頭の甥だという三郎の存在が、文治を不安にさせる。

「あの人、番頭さんの親戚だってね。カネナカの婿になるんじゃないのかね」

「カネナカさんもあの若者が来て、安心だろうね。なかなか如才のない商人だよ」

などという噂は、文治の耳にも幾度か入っている。その三郎の存在に文治の気持が規制されていた。志津代に会いたいと思っても、会ってはいけないような気がするのだ。せめて手紙なりと手渡したいのだが、それも憚られた。番頭とふじ乃の間に、どんな話が成り立っているか、何となく想像がつく。文治は自分がどんな態度に出るべきか迷っていた。一旦はカネナカへの奉公を断った身である。それだけに、今になってのこのこと、勤めさせてくれと言って出るわけにもいかない。出来たら志津代を連れて、東京へでも逃げ出したい気持ちだった。

だが、一度東京を見て来た文治には、まだ十九歳の自分が、東京で結婚生活を送れるとは思えなかった。志津代にしてもまだ十六歳だ。生活の苦労がどんなものか、わかる筈もない。十六歳と十九歳では年齢も中途半端であった。それに文治は、志津代の心をしっかりとつかんでいる確信はなかった。順平の葬式の日、目もうつろに、おぼつかなく歩いていた志津代の姿が、文治の心を重くした。今も尚、志津代はこの自分のことより順平のことを思って、嘆きつづけているような気がする。親子の絆のほうが、まだ十六歳の志津代には強いと思われる。

(自分はこの苫幌を再び立ち去るべきだろうか)

そう思った時、不意に、

「文治さん」

と、やさしい声で名を呼ばれた。はっとした文治の前に八重が笑っていた。桃割れをきれいに結い、薄みどりの地に紫の小菊をちらした着物を着た八重が、紫の風呂敷包みを胸に抱えて立っていた。

「ああ八重ちゃんか」

「いやだわ、文治さんったら。わたしが近づくの、全然気がつかなかったんだから」

すねたように言ったが、風呂敷包みを差し出して、

「これ、お彼岸のおはぎ。仏さんに上げてって」

と、にっこり小首をかしげた。

「あ、ありがとう」

受けとる文治と、手渡す八重の指がふれた。

「いつもお彼岸にはおはぎをもらって……」

文治がぺこりと頭を下げた。

「あのね、文治さん。春のお彼岸のおはぎはぼた餅って言うんだって。秋はおはぎなんだって」

「なるほど、春は牡丹で秋は萩か」

文治は、八重と話をする時は屈託がない。生まれた時から近所に住んでいる。八重の泣いた顔も怒った顔も、身内のように見て育った。

「あ、そうそう、父さんがね、今晩手がすいたら、ちょっと恭一さんと一緒に来てちょうだいって。恭一さんが忙しかったら、文治さん一人でも来てって」

「うん、わかった」

文治がうなずくと、

「お、み、や、げ！」

と、一語一語区切るように言って、八重は文治の背中を叩き、日和下駄を鳴らして駆けて行った。

その夜、文治は恭一と連れ立って、八重の父木村春之の所に出かけて行った。おはぎのお返しに、重箱の中には、キワが作ったベコ餅が入っている。その重箱を文治が持ち、恭一は縞の袷を着流しにして懐手のままだ。八重の家と山形屋の間に、一棟二戸の住宅が二軒建っていた。どの家の窓もランプの灯がほの暗い。二人は八重の家の前に来た。太い丸木の門柱が二本立っている。その右手の門柱に、「木村医院」と筆で書いた看板が下がっているのが、月の光にぼんやりと見える。磨りガラスをはめた玄関の戸をあけて、

「お晩です」

と、恭一が大きな声を出した。と、待ちかねていたように、八重が顔を出した。

「いらっしゃい。父さんが待ってるわ」

玄関を上がると、三畳ほどの取次の間がある。右手が診療室で左手が客間だった。今年東京から帰って、文治は度々この診療室に顔を出した。診療室と言っても畳が敷いてあって、片隅にやや大きな机と、手洗い用の洗面器があるだけだ。待合室などはない。患者たちはこの診療室の壁に背をもたせて、自分の番が来るのを待っている。だが、待たねばならぬことは滅多になかった。

思わず診療室のほうに入ろうとした文治は、

「あら、こっちよ」

と、八重に言われた。八重につづいて、二人は客間に入った。床の間に、「少年老いやすく学成り難し一寸先の光陰軽んずべからず」と漢文の軸がかかっている。この部屋に入ったことはほとんどない。二人は少し固くなった。

「今、父さんを呼んで来るから、ちょっと待っててね」

廊下に八重が姿を消すと、

「何の用だと思う？　文治」

恭一が言った。八重の言づてを、昼前に伝えた時から幾度か繰り返した言葉を、今また恭一は口に出した。時に、病人の家に薬を届ける役を、八重の父から頼まれることはあった。たいていは患者の家族が薬を取りに来るが、中には女子供ばかりで、夜道が危険なことがあった。そんな時木村春之は山形屋の兄弟を使った。五銭か十銭の駄賃で、時には一里もある夜道を、恭一や文治は往復したこともある。

八重の言づてを恭一に伝えた時、

「変だな、薬の用事ではなさそうだし……」

と、頭をかしげた。幼い時から気安く出入りしている家だが、改めて二人を呼びつけるということはなかった。

「まさか、お前の病気のことじゃないだろうな」

案じていた文治の容態は、この三ヵ月近くで元どおりの健康に戻った。最初は文治は妙な空咳をしていた。盗汗(ねあせ)もかいた。少し痩せ気味でもあった。

(もしや……)

キワと恭一は、胸の病気ではあるまいかと、陰でひとかたならず心配をした。町でも田舎でも、肺結核に倒れていく若者たちが、余りにも多かったからだ。が、木村春之は慎重に聴診器を当てて、

「胸の病(やまい)ではないな。ラッセルが聞こえない」

確信ありげに言い、文治の膝の下を叩いて、

「脚気だよ、これは」

と断定した。

「早寝早起きして、朝露を踏むんだ。そして昆布と小魚と麦飯を食べていたら、すぐ治る」

木村医師はこともなげに言った。文治は木村医師の勧めを忠実に守った。初めのひと月は目に見えなかったが、「薄紙を剥ぐようにではなく、厚紙を剥ぐようにだな」と、恭一が喜んだほど、目に見えて体力を回復することが出来た。今では何の自覚症状もない文治に、今更病気のことを言い出すわけはなかった。とすると、あとは文治の身のふり方についての忠告としか、思えなかった。

廊下に大きな足音が響き、障子がさっとあいた。

「お晩です」

恭一と文治がぺこりと頭を下げた。

「やあ、忙しいところを呼んですまんかったな」

柔道は二段だという木村春之は、がっちりとした体だった。

「ま、あぐらをかけや」

かしこまっている二人に言いながら、春之は先にあぐらをかいた。

「おはぎ、うまかったです。母がよろしくと言ってました」

恭一はふだんの語調で言った。

「いや、うまくもないものをな」

　春之は文治の顔を見、

「うん、すっかりよくなった。もう心配はない」

　春之は大きくうなずいて、

「実はだねえ。君たち二人を呼んだのは、ほかでもない。恭一君は山形屋を継ぐのだろうが、文治君はどうするのかね。そのことをちょっと聞きたかったんだ」

「……………」

　文治はすぐには答えられなかった。恭一が言った。

「やっぱりその話でしたか。先生がお呼びだって言うから、何のことかと、実はびくびくして来たんです」

「びくびくか。何か聞かれて困ることがあったのか」

　春之は大声で笑った。春之と顔を合わせているだけで病気が治るという村人がいる。何がおもしろいのか、春之はよく笑う。八重の明るく呑気な性分は、この父親譲りかも知れなかった。

「文治君、君また東京に出て行って勉強する気かね」

　八重が塩せんべいと番茶を持って入って来た。

「わたしもここにいていい？」

　甘えるように八重が言った。

「いや、いかん」

「あら、どうして？」

「これから三人で、お前の悪口を言うところだ」

「まあ、ひどい！」

　八重は笑って部屋を出て行った。文治はいい親子だと改めて思った。

「それとも、もう東京は懲りたかね」

「いいえ、別に」

　北上宏明の温容が懐かしく思い出された。

「確か夜間中学に通っていた筈だねえ」

「はい。三年です」

「ほう、三年も勉強したのか。あと二、三年勉強すれば、大学へも行けるわけだ」

　夜間中学から昼間の中学へは、実力さえあれば編入も出来た。大学の予科へは、中学卒業を待つまでもなく、四年修了で受験も出来た。成績次第では飛び級もあった。

「はい、そうです」

「どうだね、大学へ行きたいとは思わんかね」

「思わないわけじゃありませんが……」

　不意に文治は、たまらなく勉強したいと思った。勉強は独学でも出来ると思いもする。だが、それは強固な意志を必要とした。

「じゃ、東京にもう一度行ってみてはどうかね」

　文治が口を開きかけた時、恭一が言った。

「先生、先生が文治を学校にやって下さるんですか」

「うん。だがね、言いにくいことなんだが、無条件というわけにはいかんな」

「と、言いますと？」

　恭一は身を乗り出した。春之は茶を一口がぶりと飲んで、

「八重のことだ」

　と、茶碗を盆の上に置いた。

「八重ちゃんのこと？」

　恭一はうつむいている文治を見、

「つまり、文治を八重ちゃんの婿さんにということですか」

「恭一君、君はぼくの言いにくいことをみんな言ってくれたね」

と春之は苦笑し、

「実はそうなんだ。文治君のことは、小さい時から見てよくわかっている。いい子だと思っていた。今度東京から体を悪くして帰って来て、文治君と接する機会が多くなった。人間、病気の時と健康な時とでは、人が変わったようになるものだ。病気になると強情になったり、わがままになったり、気弱になったり、甘えたりしやすいものだ。だが文治君は変らなかった。若い者が東京から病気で帰って来て、ヤケを起こさず、平常心を失わない、これはなかなか出来ないことだよ、恭一君」

「はあ、どうも……」

恭一が頭を掻(か)いた。

「わしはね、文治君を信頼出来る男だと、改めて惚れこんだんだ。惚れこむと欲が出る。このままに苫幌で埋もれさせるのは、惜しいと思う。自分の娘の婿に欲しくなった。これから中学へ入って、大学を卒業するまで、かれこれ十年はかかる。十年と言えば長いようだが、過ぎてみれば短いもんだ」

「…………」

「十年経っても文治君、君はまだ二十代だ。若いもんだ。今すぐに返事をくれとは言わないよ。本来なら人を立てて、君たちのおっかさんに頼みに行くのが筋だろうが、あの人のことだ、目と鼻の先に住んでいる者から、こんな話を持ちこまれては、断るにも断れまい。そう思って、君たち二人に来てもらったわけだ」

「ありがとうございます」

恭一はていねいに頭を下げ、

「願ってもないもったいない話だとぼくは思いますが、文治には文治の考えがあるかと思います。母とも、文治ともよく相談をして、返事をいたします」

二十一歳だが、恭一はさすがに山形屋の二代目として、尋常な挨拶が出来た。

「ああ、そうしてくれるとありがたい。八重は親の口から言うのもおかしいが、器量も悪くないし、気立ても明るい。素直な娘だ。それにどうやら、小さい時から文治君が好きなようで、見ていてもいじらしいことがある。あれも元々は一人娘じゃなく、君たちも知ってのとおり、上に兄が二人、姉が一人いた。どれもこれも幼い中に死んでしまった。それだけにあの子が不憫でねえ。何とかいい婿が欲しいと、家内とも言い言いしていた。もしその気になってくれたら、祝言は文治君が兵隊検査を過ぎた頃でもいいなどと、自分勝手なことを考えているわけだが……」

春之はまたしても声高に笑って、

「家内が、話が終わるまでは胸がどきどきで、君たちの顔を見れないって言うんだ。さ、これで話はすんだ。いい返事はもらいたいが、何事も縁だ。縁がなければいたしかたのないことだ。よく考えて、遠慮をせずに返事をくれ給え」

と言い、大きく手を打った。

「ハーイ」

春之の妻のマキの声がした。

二

宵っ張りの新太郎が、まだ九時だというのに、今夜は珍しく早く床に就いた。昼間、タヨに連れられて、古丹別(こたんべつ)のほうまで行って来たのだ。片道一里だから二里は歩いたことになる。

「何だか今夜は淋しいね」

風呂から上がったふじ乃が、鏡台の前に横坐りになって、鏡をのぞきこんだ。

「ほんとうね」

気の乗らぬ語調で志津代は答える。まだ雑誌を開く気にもならないし、縫物をする気にもならない。志津代は薪ストーブの前に坐って、ストーブの小窓にちろちろと動く赤い炎を見ていた。炉の上に台を置き、ストーブを置くと、別の部屋のような感じになる。炎を見ながら、今夜ばかりが淋しいのではないと志津代は思う。昼飯時のように人が多勢いる時も、夜半にふっと目をさました時も、自分の淋しさに変わりはないと思う。父親の死がこんなにも辛いものかと、胸が詰まる。

「ね、志津代。お父っつぁんはどこに行ったんだろうね」

鏡の中のふじ乃の視線と、志津代の視線がぶつかった。

「さあ……」

風が少し強い。裏戸ががたがたと鳴った。

「四十九日の間はさ、魂が家の傍にいるというけど、四十九日が過ぎたら、どこへ行っちゃうんだろうね」

「………」

「何だか仏壇が淋しくなっちゃった」

しめっぽいふじ乃の声だった。ふじ乃は四十九日の間ロウソクを絶やさなかった。そのロウソクの灯も、今では朝と夕だけ点すようになった。

「おっかさん」

志津代はやはり聞いてみようと、ふじ乃を呼んだ。番頭の嘉助が何日か前に志津代に言った。

「新太郎ちゃんは、この家を継いではならぬ子なのです。いや、継がせてはならぬ子なのです」

嘉助はそう言った。「どうして?」と志津代が聞こうとした時、嘉助の甥の三郎が入って来て、客が来たと告げたのだ。それから、始終嘉助と顔を合わせながら、尋ねる機会がなかった。いや機会がなかったというより、機会を避けたと言ったほうが本当だった。そのうちに志津代は聞きたくなくなった。事を正視することが恐ろしくなったのだ。

(なぜ新太郎はこの家を継いではならぬのか)

その思いが日に日に志津代を耐え難くさせた。そしてその耐え難い思いにさせた嘉助が次第にうとましくなった。嘉助は確かに忠実な番頭だとは思う。だが、跡継ぎのことにまで口を出すのは、十六歳の志津代にも越権だと思われた。父が生きている間は、跡継ぎについてこれっぽっちも口に出さなかった。侵してならぬところを、嘉助は父の死によって侵し始めたように、志津代には思われる。順平でさえ、

「いつか、わかる」

と言葉を濁したのに、嘉助はそれを明らかにしようとした。いかに順平の気持を重んじたにせよ、やはり志津代はうなずけない思いだった。嘉助に対する警戒心が志津代の胸に芽生えた。それはまた同時に、嘉助の甥三郎に対する警戒心でもあった。嘉助はあの日、二度までも、

「三郎に目をかけてやって欲しい」

と言った。その時は何げなく聞き逃した言葉だが、後になって妙にその言葉が志津代の心に絡みついた。出来たら志津代はこの家を出たい。文治と二人の生活に入りたい。この家にはまだ三十五歳のふじ乃がいる。嘉助や三郎の助けで、ふじ乃が店を取りしきれない

とは思えない。十五年経てば、新太郎は二十だ。ふじ乃は五十になる。その時になって、初めて新太郎に店を譲ってもいいのではないか。嘉助は、新太郎は店を継いではならぬ人間だと言った。志津代にはよくわからないが、もしかしたら新太郎は父の子ではないということか。が、自分と同様母親似の新太郎を見ていると、そんなことはあり得ないように思う。一方、新太郎が別の男の子だと考えれば、様々な疑問が氷解するような気がする。順平が新太郎の誕生と同時に、跡継ぎは志津代だと宣言したこと、新太郎を滅多に膝に乗せなかったこと、それらの謎がすらすらと解ける気がする。

(でも、新太郎がよその子なんて……)

とすれば、母が許すべからざる罪を犯したことになる。姦通の罪を犯したことになる。姦通罪は監獄に入る罪だと、志津代は裁縫所で聞いたことがあった。

「姦夫姦婦は重ねて四つに切ると言ってね、江戸時代には死罪だったんだよ」

そう師匠の萩原カツが、みんなに言って聞かせたことがあった。そんな恐ろしい罪を母が犯したとは、信じられなかった。信じたくなかった。志津代は母の口から一度それを聞きたかった。「否」と言って欲しかった。それは母の潔白を証明してやりたいという、親びいきの心でもあった。

志津代に呼ばれたふじ乃は、

「なあに？」

と、櫛で髪を撫でつけ、

「志津代、あしたはおふみさんの来る日だったわね」

と言った。ふみは出入りの髪結いである。四十半ばを過ぎた無口な女だった。三日か四日に一度は髪を結いに来る。撫でつけだけに寄ることもある。札幌で修業したというふみの腕もよかったが、無口なところが女たちに喜ばれた。人の家に出入りする仕事だから、嫁姑の争いも聞けば、夫婦のいざこざも聞く。だが、ふみは、見たことも聞いたことも一人の胸にのみこんで、他に洩らすことはなかった。

「山形屋のキワさんと、髪結いのふみさんの前では、何を言っても安心だ」

と、女たちは言った。

「そうね……」

以前の志津代なら、前の日からふみの来るのがうれしかった。可愛い桃割れをきれいに結い上げられると、不思議に気持が華やぐのだ。動作も娘らしく、つつましくなる。だが、順平が死んでからは、好きな柄の着物を着ても、きれいに髪を結っても、沈んだ気持はどうしようもない。

「志津代、お前はいいねえ」

髪結いのふみが来ると言っても、浮き立たない志津代を見て、ふじ乃はふっと吐息を洩らした。

「何が？」

「お父っつぁんの死を、誰にも憚らず、心ゆくまで悲しむことが出来てさ」

「え？」

（心ゆくまで悲しむことが出来る）という言葉を胸の中で呟き、志津代ははっとした。

「おっかさんだって、志津代のように思う存分嘆いてみたいよ。でもね、志津代、おっかさんが朝から晩まで、お前のようにぼんやりと、気がぬけたようにしていたら、ここの家は火が消えたようになるじゃないか。おっかさんだって歯を食いしばっているんだよ」

ふじ乃は立って来て志津代の傍に坐った。湯の香りがかすかにした。

「おっかさん！」

志津代はふじ乃の目尻にたまる涙を見た。

「志津代、お前がそうやって悲しんでいるのを見るとね、おっかさんは死にたいぐらい辛いんだよ」

「死にたいぐらい？」

「そう。死にたいぐらいね。お父っつぁんを死なしたのは、このおっかさんだからね」

　ふじ乃の目から涙がこぼれ落ちた。

「ちがうわ、わたしよ。わたしがつまらんことを言い出したから……わたしが水を上げなかったから……」

「そうじゃないの。志津代は何も知らないんだよ。悪いのは、何もかもこのおっかさんさ。あんな仏さんみたいな人を……悪い女だね、おっかさんって」

　志津代は不意に、母の膝に顔を伏せて泣きたいような気持ちに襲われた。

「志津代、十六のお前から見たら、三十五のおっかさんは、ずいぶん大人だと思うかも知れない。でもね、お前もおっかさんの齢になったらよくわかるけど、おっかさんは娘時代とおんなじ気持ちなんだよ。なんにもしっかりしちゃいない。自分がほんとは何をしたらいいのか、なんにもわからない。お父っつぁんが生きている時はお父っつぁんに頼りっぱなし。只甘えてきただけさ。その甘える人がいなくなって、おっかさんは心細くってね。ほんとはおっかさんって、お前ほどもしっかりしてはいないんだよ」

　ふじ乃は淋しそうに笑った。志津代は驚いてふじ乃を見た。母親というものは、こんなことを娘に打ち明けるものだろうか。母親というものは、山形屋のキワのように、じっと静かに耐えて生きていくものではないだろうか。

　順平が死んでも、ふじ乃は至って元気なように志津代には思われた。いつも明るかった。

大きな声で笑いもし、冗談も言った。小僧を叱りつけもした。相変らず昼食時には、来合わせた人に食事をふるまった。順平が死んでからは花札遊びもしなかったし、金を手づかみで銭箱から持ち出すこともしなかった。活気がふじ乃のまわりに満ちていた。そのふじ乃が淋しいと今言っている。心細いと言っている。志津代は内心うろたえた。

「だからさ、志津代。あんた、いつまでもそんな顔をして、おっかさんを悲しませないでよ。あの夜、どんなにしてお父っつぁんが死んだか、知ってるのはおっかさんと志津代だけじゃないか。志津代の気持もわかるけど、おっかさんの立場もわかるだろう。おっかさんが悪かったんだよ、おっかさんが。あんまり悲しまれると、おっかさんは責められているようで辛い」

ふじ乃のあたたかい手が、志津代の膝に置かれた。志津代は、その手の上に自分の手を重ねようとして、ためらった。ためらわせるものが志津代の胸の中にあった。

「とにかく、志津代はここの跡継ぎなんだからさ、元気を出してくれなきゃあ……」

その言葉を聞いた途端、志津代は思いきって言った。

「おっかさん、どうして新太郎が跡継ぎじゃいけないの？　ね、どうして？」

新太郎はこの家を継いではならぬ子だ、と言った嘉助の言葉が、またしても思い出された。

「志津代！」

膝に置かれた手がすっとふじ乃の膝に戻った。

「やっぱりそのことは、おっかさんの口からはっきり言っておくわね。おっかさんはね……お父っつぁんを裏切ったの」

途端に志津代の体が硬直した。窓が激しく風に鳴った。

「おっかさんはお父っつぁんが好きだった。その気持は信じて欲しいの。だけどね、おっかさんはいい気になっていた。何をしてもお父っつぁんは許してくれる、そう思っていたのね。あの時……おっかさんに魔がさしたんだわ。魔がさしたとしか思えない」

「………」

志津代はどこをもなく、一点を凝視していた。それは黒い小さな一点だった。その一点が、大きく、暗く、広がっていくような気がした。

「おっかさんは監獄行きだよ。ほかの男の子を生んだんだから」

ふじ乃の顔は青ざめていた。

「志津代、お前は増野録郎っていう行商の男を知ってるかい?」

志津代はかすかにうなずいた。

「新太郎はあの人の子供だよ」

志津代は自分の心が果てしなく暗い空間となり、その中に自分自身が消え失せてしまうような気がした。

「たった一度のあやまちだった。お父っつぁんが佐渡に行って、留守の間のことだった。志津代、おっかさんはね、たった一度のあやまちだから、誰にも知られないと、たかをくくっていた。ところが新太郎がお腹に入った。神さまっているんだね。でもおっかさんは、お父っつぁんにだけは嘘をつき通した。新太郎は自分たちの子だって、言い張った。だってね、お父っつぁんだって、嘘でもいい、そう言い張って欲しい、と思ったと思うの」

声がふるえていた。

「志津代、いつかおっかさんが、夜中に家を飛び出したことがあったろう。おっかさんは悪い女だよ。おっかさんがいなくなったら、お父っつぁんが、どのぐらい嘆くか、知りたかったの。案の定、お父っつぁんは、もう二度と新太郎のことを疑わないと言ってくれた。そして、ふじ乃はどこにも行かないでくれと、このおっかさんの前に手をついたのよ。もったいない。おっかさんは、いかにも自分が正しいと見せたくてね、それで店の金なんか持ち出してさ、花札をして遊んだんだよ。ほんとうなら、監獄に叩きこまれても仕方のないおっかさんだから、小さくなって暮らすのが当然だろ。でも、おっかさんは、自分は何もしていないと、必死になってお父っつぁんに嘘を言いつづけたの。お父っつぁんは欺されたふりをしていたわ。だけど、この家だけは、志津代に継がせるって……おっかさんは怒ったふりをしていたけど……おっかさんがなんぼ図々しくても、新太郎にこの家を継がせるなんて、思うわけがない」

「………」

「おっかさんは、お父っつぁんに恩返しのつもりで、一生懸命店のために精を出そうと思うの。でもね、もし志津代にお婿さんが出来たら、その時は新太郎を連れて、この家を出ようと思っているのよ」

はっと志津代はふじ乃を見た。ふじ乃の視線と志津代の視線が再び絡み合った。

三

裁縫所を出ると、八重はいきなり志津代に体をぶつけるようにして言った。

「うれしかったわ。志津代ちゃんはもう裁縫所に来ないのかと思った」

久しぶりに裁縫所に現れた志津代に、八重はそう言って喜びをあらわにした。十一月にしては珍しく暖かい日和だ。二人の背に晩秋の陽が明るい。今日志津代は、長いこと休んでいた裁縫所に来た。母のふじ乃が、

「お前はいいねえ、お父っつぁんの死を、誰に憚ることなく、心ゆくまで悲しむことが出来て」

と言った時、志津代は自分が少しも母の気持を思いやっていなかったことに気づいた。

「おっかさんだって、志津代のように思う存分嘆いてみたいよ」

ふじ乃はそうも言った。しかもふじ乃は、決して言ってはならぬ秘密を志津代に打ち明けたのだ。それは新太郎が父順平の子ではないという重大な秘密であった。もしそれが公になれば、刑に服さねばならぬほどの重大事であった。おそらくふじ乃は志津代に打ち明けるまで、心のうちに幾度も葛藤を繰り返していたにちがいない。口が裂けても言うまいと思っていた時期もあろうし、早く誰かにすべてを知ってもらいたいと、悶々と過ごした

日もあったにちがいない。打ち明けるか、あの世まで秘密を守りつづけるべきか、思い悩んでいたにちがいない。それは順平の生きていた時からの戦いであろう。順平の死によって、精神の均衡が失われたのであろうか、あるいは順平の死がふじ乃に覚悟のようなものを定めさせたのかも知れない。まるで志津代の詰問を待ち受けていたように、ふじ乃はためらいもなく新太郎の父の名を口にした。

十六歳の志津代にとって、それは許し難いことの筈だった。が、志津代は自分でも訝(いぶか)るほどに、母の哀しみがよくわかった。順平が死んでからの異常なほどの明るさと、順平が生きていた時のわがまま勝手の花札遊びとが、奇妙に志津代を納得させた。女の哀しみというものを志津代はまだ知らない。だが、なぜかふじ乃の哀しみがわかったのだ。ふじ乃は言った。

「おっかさんは、お父っつぁんに恩返しのつもりで、店のために一生懸命精を出そうと思うよ。けれどね、もし志津代にお婿(むこ)さんが来たら、その時はおっかさん、新太郎を連れて、この家を出ようと思っているんだよ」

志津代はその言葉に打たれた。そんな言葉を母に言わせた自分の存在が、うとましくさえあった。

あれから二日と経ってはいない。が、志津代は、今こそ父に死なれた悲しみの世界から、ようやく一歩外に足を踏み出し得たような気がした。

(おっかさんは、ほんとは悪い人じゃないんだわ)

確かに母は父を裏切って、増野録郎の子を生んだ。だがそんなあやまちを犯したのは、ふじ乃が無邪気過ぎるからのような気がした。

(おっかさんには欲はないんだわ)

新太郎をつれてこの家を出るという母の言葉が、志津代に母への怒りや憎しみを失わせたのかも知れない。ふじ乃は以前、夜中にこの家を出たことがあった。あの時実は、母は新太郎と共に海に身を投げようとしたのではないか。羽幌への途中、赤土のあらわになった切り岸がある。あの崖の上に、母は一旦は佇(たたず)んだのかも知れない。だがおそらく、背中の新太郎が泣き出して、母は死ぬよりも辛い生を生きる気になったのかも知れない。志津代はそうも考えてみる。

志津代が小学校に入ったばかりの頃だった。あの崖から男と女が海に飛びこんで死んだ事件があった。土地の者ではなかった。人妻と若い男のその足に、麻縄がくくりつけられてあったと、誰からともなく志津代は聞いた。

「本当に好き合っていたんだなあ」

店の小僧たちがそう言っていたのを聞いた。今になって志津代は、母の家出は必死の家出だったと気づいたのだった。多分順平は、そのふじ乃の心を知っていたのだろう。店の金をざっくりと財布に入れて、花札に興ずるふじ乃を、順平は咎めようとはしなかった。その父の胸の痛みを、志津代は今更のように思った。何もかもふじ乃の言った「魔がさした」一夜の故の苦しみだったと思う。

志津代の目に、新太郎の手を引いて、とぼとぼとこの家を出ていくふじ乃の姿が目に浮かんだ。新太郎にこの店を継がせてはならぬと、母は律儀に考えているのだ。とすれば、尚のこと自分はこの店を継ぎようがない。誰かを婿に迎えて、この繁昌している店を継いで行く。それは志津代にはむなしいことに思われた。なぜ母と自分が離ればなれに生きねばならぬのか。母は新太郎だけの母なのか。そう問いかけたい思いもする。

そしてまた、志津代にはどうしてもわからぬ一つのことがあった。それはカネナカという店の存在であった。自分がこの家を継ぎ、母と弟がこの家から出て行く。そんな悲劇を起してまで、この店は継がねばならぬものなのか。それが志津代には不思議でならなかった。店は番頭に、適当な条件で譲ってもよいではないか。確かにこの店は父の血と汗の結晶ではある。明治十一年、十六歳の順平が、佐渡からはるばる渡って来て、この日本海岸を行商した。十六と言えば、今の自分と同じ齢である。反物を背中に、北風の寒い海岸を、沫にぬれて、前こごみに歩く父の姿が目に浮かぶ。胸の痛くなるような辛い姿だ。そうしてようやく店の基を築き、今ではこの海岸有数の商店となった。その店が順平一代で終わり、他の者に譲られたとあれば、父はさぞ無念なことであろう。だが、店よりももっと大事なものがあると、志津代は一昨日から考えている。一番よい方法は、母がこの店を采配し、自分がこの店を継ぎ、新太郎にのれん分けをしてやることだった。それですべてが丸くおさまるような気がした。が、問題は、誰が自分と共にこの店を継いでくれるかと言うことだ。

志津代は幾度も文治の顔を思い浮かべた。が、文治がカネナカの店の帳場に坐るのは、似つかわしくないように思われてならない。文治はやはり学校に通って勉強する人間だと思う。この夏、東京から帰って来て以来、二人は幾度か朝の海べで顔を合わせた。文治から手紙をもらい、志津代も返事を書いた。そんなことが二度ほどあった。だがその手紙はお互いの心を打ち明けたものではなかった。文治の手紙は、久しぶりに帰って来て眺めた天売(てうり)・焼尻(やぎしり)の島に心を慰められたという手紙であり、志津代もまた、病気と聞いていたが、思ったより元気そうでうれしいという淡いものであった。二通目の文治の手紙には、早く治って再び勉強したいと書かれてあり、志津代はその手紙に「ご成功を祈っています」という程度の返事を書いた。言ってみれば、文治と志津代の間には、何もないようなものだった。だが、志津代の心に文治が住みついてから久しい。文治が学芸会で歌った「荒城の月」に心を奪われてから、志津代は幼い恋を今日まで育てて来た。順平が死ぬ夜、志津代は順平の肩を揉んだ。順平は言った。

「脚気(かっけ)を治して、何とかこの店を継いで欲しいもんだな」

「勉強の好きな人だから……」

と言う志津代に、

「しかし、簡単に諦(あきら)めることはないぞ」

と順平は言ってくれた。その優しい順平の声が今も耳にある。死のすぐ前の言葉であっただけに、それが遺言のように志津代には思えるのだ。

今日、久しぶりに裁縫所に顔を出すと、師匠の萩原カツを始め、娘たちは声を上げて喜んだ。中でも八重は上機嫌で、その上饒舌(じょうぜつ)だった。喜びが体中からあふれているようであった。自分が裁縫所に来たことをこんなにも喜んでくれるのかと、志津代は今更のように八重の友情をうれしく思った。カツは網元の家に婚礼があるとかで、今日の裁縫所はいつもより早く終わった。そのカツに呼びとめられて、

「志津代ちゃん、淋しくなったでしょう」

と言われ、志津代はたちまち涙ぐんだ。みんなより少し遅れて志津代と八重は裁縫所を出た。

「志津代ちゃん、ほんとによく来てくれたわね。淋しかった」

八重は何度か言った言葉を、今また繰り返して、再び体をぶつけて来た。弾むマリのようであった。志津代は自分が八重と同じ歳の娘には思えなかった。

「ね、志津代ちゃん……わたしね」

八重は道端で立ちどまり、くっくっと笑った。ひどくうれしそうだった。

「どうしたの、急に笑い出して」

「ううん、あのね、言おうかな、言わないかな」

八重は下駄で小石を蹴った。小石は道端の枯蓬(かれよもぎ)に当たって、蓬がふるえた。志津代は黙って枯蓬のひとむらを見た。

「やっぱり言うわ」

再び八重が歩き出し、

「あのね、うちの父さんがね……」

言いかけて八重がまた言葉を途切らせた。八重の全身に笑みが満ちあふれていた。

(何か言いたいことがあるのだわ)

その言いたいことが、八重をこんなにも喜ばせているのだ。八重が久しぶりに志津代を見て喜んだのは、本当はその言いたいことにあるのだと志津代は悟った。

「ね、志津代ちゃん、うちの父さんが、山形屋の恭一さんと文治さんを、おとついの晩ね、うちに呼んだのよ」

文治の名が出て、志津代ははっとした。

「呼んだ？」

「うん、呼んでね、医者の学校に行かないかって、文治さんに聞いたんだって」

「文治さんに⁉」

「そう。だって恭一さんは山形屋の跡取りでしょう。うちにお婿さんには来れないわ」

「お婿さん？」

志津代は頭から血の引くのを覚えた。裁縫所から志津代の家は近かった。もう曲がり角にさしかかっていた。が、二人はどちらからともなく、そのまま真っすぐに歩いて行った。

「父さんがね、文治さんはとてもいい若者だって、気に入ったの」

「八重ちゃんは？」

志津代は声がふるえそうになるのを恐れながら言った。

「わたし？　そりゃあ好きよ。ずっとずっと前から好きよ」

「そう。よかったわね」

志津代の声が単調になった。八重が上機嫌だったわけがよくわかったのだ。文治からの返事を聞くまでもないような気がした。

俄かに目の前の風景が掻き消されたように思われた。今まで両側に並んでいた白茶けた柾屋根、その屋根に乗せてある石、軒に干された魚、家並みの間に見えた紺青の海、白いカモメ、聞こえていた波の音さえ消えてしまった。

「あ、志津代ちゃん、顔色がまっさおだよ。どうしたの?」

八重が気づいて志津代を支えた。志津代はその場にうずくまった。

「大丈夫よ」

「大丈夫?」

「ええ、大丈夫よ」

文治が遠くに去って行くのを感じながら答えた。

「何でもないわ。貧血よ」

志津代はゆっくりと立ち上がった。

「ああよかった。びっくりした」

八重は志津代の打撃に気づいてはいなかった。八重の胸には文治だけがあった。

「ね、志津代ちゃん、文治さんていい人だわね」

「……さあ……わたしはよく知らないから」

「でもさ、ほかの人にくらべてどう思う?」

「お勉強の出来る人だわね」

「それにまじめでしょう」

「そうね」

「志津代ちゃん、賛成してくれる？」

「賛成？」

「うん。わたしね、志津代ちゃんに相談してみたかったの」

　八重は自分がどんなに残酷な言葉を出しているか、全く気づいていない。

「どうしてわたしなんかに相談するの？」

「だって、志津代ちゃんの言うこと、まちがいないもの」

「うそよ、八重ちゃんはわたしに相談するつもりなんかないわ。その証拠に、わたしが反対したって、文治さんを諦めたりしないでしょ。八重ちゃんは只文治さんの話をしたかっただけなのよ」

　志津代はよほどそう言いたかった。だが無邪気に喜んでいる八重を見ると、そうは言えなかった。

「よかったわね、八重ちゃん、好きな人と結婚出来て」

「あら、結婚なんてそんな、只そんな話があっただけよ。文治さんからはまだ、何の返事もないの。でも一週間以内には返事をくれるんだって。こんないい話、断る筈はないだろうって、父さんはのんきだわ」

うれしそうに八重は笑った。八重も父親と同じように思っているらしかった。が、志津代は文治からの返事がまだだと聞いて、少し心の明るくなるのを覚えた。と、その時、

「あら、文治さん！」

と八重が叫んだ。今二人は、山の手へ登る坂道にさしかかろうとしているところだった。文治は先に二人に気づいたらしく、道の真ん中に突っ立って二人を見おろしていた。いや、二人というより、志津代を見つめていた。志津代は胸の詰まる思いがした。父親が死んでから、初めて見る文治の姿だった。

「文治さーん」

八重は手をふり、駆け登って行った。だが文治は志津代から目を外らそうとしない。志津代は坂を登るべきか、背を向けて降りるべきか迷った。その時文治が、大股で坂を降りて来た。八重はその文治の激しい視線に気づいてか、気づかないでか、文治の後を小走りについて降りて来た。志津代はくるりと背を向け、必死にわが家のほうに走り出した。

四

文治は走り去る志津代のうしろ姿を、凝然と見つめていた。追いかけたいと思うのに足が動かない。志津代の背には、文治を追いかけさせない拒絶があった。文治は幾年か前の吹雪の日を思った。学芸会の練習で遅くなった志津代を、校長が送って行けと命じたことがあった。あの時も志津代は必死になって、吹雪の道を逃げた。それが今、文治には自分と志津代の関係を象徴するもののように思われた。あの日は志津代がばったりと道に倒れた。が、今文治は志津代を追いかけようとはしない。しかし心の中では追いかけていた。

「さよならあ、志津代ちゃん」

不意に傍らで八重が叫んだ。志津代はふり返らなかった。

「いやだわ、志津代ちゃんったら……」

八重が笑顔を文治に向けた。八重は、志津代が文治を見て、気を利かせたのだと思った。が、見上げた文治の表情が余りにも固いのに、八重は驚いた。

「どうしたの？　文治さん、志津代ちゃんを嫌いなの？」

文治は黙って八重の顔を見た。八重の頰が紅潮していた。

「今、裁縫所の帰り？」

文治はいつもの口調で言った。

「そう……わたしね……」

「なあに？」

「志津代ちゃんに言っちゃった」

「何を？」

「文治さんのこと……」

「ぼくのこと？」

「うん、まだ返事は来てないけど……たいてい大丈夫だろうって、父さんが言ってたから」

文治は頭がかっと熱くなった。この幼い八重になんと答えるべきか、言葉がなかった。

「さよなら、八重ちゃん」

ひとことそう言って、文治は坂の下に向かって駆けて行った。今志津代が駆け去った道を文治も駆けた。言いようのない焦りが文治の心を不安にした。うしろで八重の叫ぶ声がした。文治はふり返らなかった。志津代がふり返らなかったように、文治もまた八重をふり返らなかった。文治が志津代の家の横を通り過ぎ、右手に曲るまで、八重はじっと立ちつくしていた。

　文治は砂浜に来て腰をおろした。砂は晩秋の砂とは思えぬほどにぬくもっていた。一昨日(おとつい)の夜、恭一と文治は八重の父に呼ばれて、八重の家に行った。八重と結婚することを条件に、大学に進ませてやると八重の父は言った。その夜、恭一と文治は母を囲んで話し合った。

「悪い話じゃないな」

　黙りこんだキワと文治を前に、恭一は言った。

「それはありがたい話ですよ。もったいないような話です」

「じゃ、母さんは賛成かい」

　恭一が膝を乗り出した。

「そうねえ、母さんが先に答えを出したら、文治が困るでしょう」

「それもそうだな。悪い話じゃないにしろ、そう簡単に答えの出せることでもないだろうしなあ」

　恭一は自分で言って、自分でうなずいた。文治は黙って自分の膝頭を見つめていた。何となく文治は情けないような気がしていた。八重の父の言葉は善意に満ちていた。善意とわかっているだけに、何ともやりきれないのだ。そして何よりやりきれないのは、八重の父が、

「どうだね、大学へ行きたいとは思わんかね」

と言った時、不意に学問への激しい渇き(かわ)を覚えたことだった。それは、いきなり餌に食いつく魚のように、浅ましく思われた。先ずそのことが文治の心を傷つけていた。だがそのことに恭一は気づいているのか、どうか。帰り際に恭一は八重の父に言った。「願ってもないもったいない話だと思います」と。

それは単なる社交辞令のつもりかも知れなかった。だが、恭一の本心かも知れなかった。いや本心なのだ。「悪い話じゃない」という言葉は恭一の心を現していた。

確かに文治は、まだまだ勉強したかった。体調さえ崩さなければ、今も東京で勉強している筈だった。事情さえ許せば、文治は大学も出たかった。だが、その勉学の条件に結婚を持ち出されたのだ。口惜しい気がした。それは女が身売りする時に覚える口惜しさに似ていた。

「どう思う文治」

キワのいれた番茶を半分飲んで、恭一は文治の顔をのぞきこんだ。

「うん……」

「うんって、どうなんだ」

「急のことでさ、うまく言えないんだけど、母さん、兄さん、俺は勉強はしたいよ」

キワがうなずいた。

「だけどね、勉強したいということは、要するに勉強だけの話だ」

「それはそうだな」

今気づいたように、恭一は少し大きな声を出した。

「そうだろう兄さん。勉強したいということと、医者の道に進むということとは、別だよね」

「うん、そうだ」

「勉強はしたいが、医者にはなりたくないっていうことだって、あるよね」

「あるある。それはあるな」

「母さんも、それはわかってくれるだろうな」

キワはじっと文治の目を見つめたままうなずいた。

「本当のことを言うとね、俺は勉強はしたいんだが、何になりたくて勉強したいのか、よくわからないんだ」

東京の北上の家にいた時、医者という職業が話題に上ったことがあった。物知り博士と家人が呼んでいる男が来た時だった。北上が言った。

「徳川時代には、農家の息子が病弱で農業に耐えられない時は、医者になったそうだな」

物知り博士はうなずいて、

「そうそう、何でも『病身にてよんどころなく医師に相成りたく候』と役所に願い出れば、あとは頭を剃って、それで医者だったとさ」

と笑った。農家の息子ばかりではなく、医者になるのはまことに簡単で、幕末の極貧の志士梅田雲濱も、切羽詰まって、突如医師になったという。そんな話になった時、

「明治の御代は、医師の仁術が算術になった」

と北上が嘆いた。傍にいた誰もが相槌を打った。その時以来、文治は自分は医者には向かないと思って来た。と言って、弁護士になる気はしない。学校の教師になる気もないし、要するに自分は何になるべきか、今尚文治は決めかねていた。恭一が言った。

「何になりたいかわからないって、お前、もう十九だろう。あと二カ月足らずで十九だ。そろそろ決まってもいい頃じゃないのか」

「うん。決めなくちゃならないと思うんだ」

「じゃ決めろよ。医者だっていいだろう、医者だって」

「さあな、人の命に責任は持てないもんな」

「しかし医者は、食いはぐれはないぞ」

「うん、その食いはぐれがないのが、気になるんだな」

「何？　食いはぐれがないのが気になる？」

「うん」

「わかるかい、母さん、文治の言うこと?」

「そうだね、母さんには学問のことはよくわからないけど……文治の言うこともわかるような気もするよ」

「ほう、どんなふうに?」

「いえね、お前たちの父さんが、お前たちと同じようなことを言ってたことがあるの。いっつも本ばかり読んでいた人だろう。学問が好きな人だったからねえ。ある時誰かが、『何の役に立つんだそんなもの読んで、腹の足しにもならないだろう』って言ったのよ」

「そうしたら?」

「そうしたらね、父さんはにっこり笑って、腹の足しになる学問が本当の学問だと思っちゃいけないって、言ったことがあるの。何となくその父さんの言葉が、今の文治の言葉に似ていると思うの」

「ふーん、だけど、折角金を使って大学に行って貧乏暮しじゃ、つまらん話だなあ。それはそうと、お前、八重は嫌いか」

「好きも嫌いもないよ。小さい時から傍に見てきたんだもの」

「素直で明るくて、嫁さんにもらうには、ちょうどいい娘じゃないか。な、母さん」

「ああ、八重ちゃんはいい娘さんですよ」

文治は志津代の顔を思い浮かべていた。

「な、文治。お前、嫁にするんならな、八重ぐらいが適当なんだぞ。いつもにこにこ笑ってさ。

あんなのと一緒に暮すと、家の中が明るくて、ほっとするぜ」

「うん。そうだろうな。だけどな、兄さん、俺、自分の子供を八重ちゃんに育ててもらおうとは思わんな」

「へえー、お前そんなこと考えてるのか」

「いや、今ふっと思ったんだけどさ。一生一緒に暮していくには、八重ちゃんは少しふわふわしていて……」

「とか、何とか言って、お前やっぱりカネナカの志津代が欲しいんだろ」

「………」

「だけどな、志津代は嫁さんにするには別嬪過ぎるぞ。俺はこの間からずっと志津代のことを考えてきた。俺だって、志津代を見ると、ああいい娘だなあと、吐息が出るよ。だけどな、あんなのと一緒になったら、気の休まる暇がない。な、母さん、母さんもそう思うだろう」

キワの視線が真っすぐに文治に注がれた。文治はそのキワの視線を外らさずに受けた。

「そりゃあな、文治、お前を婿さんに欲しいと言った旦那が、生きていた時なら話は別だ。

今はお内儀さんがいるとはいえ、番頭の嘉助があの店を牛耳っている」

「………」

「しかも、四十九日も経つか経たんうちに、あの梶浦三郎とかいう甥がカネナカに住みこんでしまった。言ってみりゃあ、店の実権はあの二人に握られたようなもんだ。あんな中に飛びこむのは、ちょっとむずかしい芸当だな」

「それに……」

キワが口を開いた。

「……一度、折角の話を断ってしまったからね。今になっては、どう考えても、話の持っていきようがないんでねえ」

「………」

文治は黙ったまま腕組みをした。どうもどこかがちがう。八重にしろ、志津代にしろ、なぜこの自分がその家の仕事を継がねば、結婚出来ないのか。若い文治には、理屈に合わぬような気がするのだ。この世には義理や人情がある。それはわかるが、どうしてその家の商売が絡み合ってくるのか、近頃文治は納得出来ないのだ。志津代が好きなら志津代と結婚すればいいではないか。商売を継ぐか継がぬかは、二の次だと思う。

（しかし……）

文治は二人を前にこうも考えてみた。もし志津代の家が医者の家で、志津代との結婚を条件に進学させると言われたなら、自分は一も二もなく、この話に飛びついたのではないかと思う。とすると、自分の考えも意外と正当性を欠いているのかも知れないと、思われてくるのだ。おそらく志津代と結婚出来るのであれば、進学の話に、女の身売りのような恥辱は感じないにちがいない。文治は自分がひどくいい加減な人間に思われてきた。兄の恭一は、断るにせよ、受けるにせよ、一週間くらいよく考えてから決めるべきだと言った。

文治は今、天売・焼尻の二つ並んだ島に目をやった。白い雲がひとひら、晩秋の陽に輝いて北に流れて行く。波がちかちかと陽に光り、おだやかな海だった。文治は八重との縁談は断ることに決めていた。八重を傷つけぬために、

「自分は医師には適していない」

と、言うつもりだった。八重のことだ、医師にならなくてもいいからと、駄々をこねるかも知れない。だが大人の木村春之夫婦は、自分の気持を察してくれるにちがいない。おだやかな海に向かって、文治は少しきびしい顔をしていた。死んだ父は、よくこの浜に来て、半日も坐りこんでいたという。その父にとっては、日本の現在や未来が大きな問題であったにちがいない。いや、そればかりか、この国の彼方にあるロシヤという国の生き様も、心にかかっていたにちがいない。それから見ると、今の自分の考えていることは、余りに

も小さなことかも知れないと、文治は思った。文治はきびしい表情を真っすぐに海に向け、八重がこの度の縁談のことを、志津代に語ったという言葉にこだわっていた。坂の下に立って、自分を見上げた志津代のまなざしは、文治への関心がどのようなものかを示していた。胸のしめつけられる思いで、文治は志津代を見た。順平の葬列に、足もともおぼつかなく歩いていた志津代では、もはやなかった。八重と同じ年齢とは思えない一人の女がそこにいた。が、志津代は、声をかける間もなく、身をひるがえして走り去った。あれは拒絶であろうか、あるいは媚態であろうかと、文治は惑った。

　どのように八重がこの度の縁談を志津代に語ったか、それは知らない。が、自分に背を向けたあの志津代の姿は、憤りかも知れないと思う。憤りだとすれば、志津代は自分を愛してくれているということになる。まさか嫌悪ではあるまいと思う。

（しかし……もし縁談が決まったとでも誤解されたら……）

　文治は焦りを感じた。志津代と同じ屋根の下にあの梶浦三郎がいる。十年間、札幌の大店（おおだな）で修業したという三郎の、商人らしい身のこなしが思い出された。あれは大人の身のこなしであった。十九歳の書生の自分には、手の届かぬ所に三郎はいた。

（八重の話を聞いて、志津代は自暴自棄になりはすまいか）

　突如三郎と志津代が祝言をあげるような予感がした。自分と三郎をくらべれば、誰の目にも三郎はカネナカのよき婿に思われるにちがいない。

「志津代」

声に出して、文治は志津代の名を呼んだ。人間は先ず妻を選ぶべきなのか、仕事を選ぶべきなのか、文治にはわからなかった。只志津代に会いたいと、文治は砂を払って立ち上がった。陽が雲の中に隠れた。

五

屋根の雪が融けて、雨のように、音を立てて軒から流れ落ちている。その簾にも似た雫に、三月の日が明るく光っている。

「いらっしゃいませ」

「ありがとうございます」

客を迎える声、送る声が店一杯にひびく。鰊の季節が今年もめぐってきて、カネナカの店先には網元の帳場や、ヤン衆がひっきりなしに姿を見せて賑やかだ。文治は机に向かって、帳簿を繰りながら算盤を入れていた。

「暖かくなりましたねえ。今年もきっと大漁でしょう」

歯切れのよい声で応対する三郎の声を聞きながら、文治は自分が今、カネナカの帳場に坐っていることが、ふっと夢のように思われた。

八重の父に呼ばれて、

「大学に行く気はないか。八重をもらってくれるなら、医者の学校に進めてやってもいい」

との話を持ちかけられたのは、もう半年も前のことになる。確かあの日、八重は彼岸の

おはぎを重箱に入れて届けてくれた。そして、

「夜、恭一さんと一緒に来てちょうだいって、父さんが言ってたわ」

と、告げたのだった。明日は春の彼岸の中日だから、ちょうど半年になるわけだ。

（あの時は参ったな）

文治はしみじみと思い出す。勉強はしたかった。が、八重を妻にする気はなかった。八重には妹のような感情しか持てなかった。それでも、志津代という存在がなければ、八重は妻にしてもよい娘かも知れなかった。

裁縫所の帰り、八重と連れ立った志津代を見かけたのは、坂を降りる途中の道であった。志津代を見た途端、文治の体は硬直した。順平の葬式以来、初めて会ったためかも知れない。文治はしかし、自分の思いの深さを、その時改めて知らされたような気がした。身をひるがえすように走り去る志津代を見つめながら、文治は今すぐ自分の手の中に志津代を抱きしめたい衝動に駆られた。あの時、自分はどんな顔をしていただろうかと、文治は時折思うことがある。

「八重の話は断るべ」

恭一が言ったのは、それから三日ほど経ってからであった。文治は黙ってうなずいた。

「お前、やっぱり、志津代が好きなんだろう」

「うん」

「そうか。どうしたらお前が志津代に近づけるかな」

　母のキワのいない所で、二人は同じ話を幾度も繰り返した。

「お前なあ、そのうち兵隊検査だろ」

「ああ」

「検査まで、体を鍛えておけ」

「何もしないでか」

　文治は再び東京に行こうかと思っていた。

「うん、仕事をしないったって、宿の仕事があるだろう。母さんと二人っきりでは、手がまわらぬほど忙しいことだってあるんだから、お前、うちのことを手伝えよ」

「…………」

「勉強も大切だが、文治、今、志津代のほうが大切じゃないか。志津代が誰かの嫁さんになったら、お前勉強する気など、なくするかも知れんぞ」

「まさか」

「まさかじゃないぞ。男なんてな、偉そうなことを言ってみても、いい嫁さんが必要なんだ。その証拠に、徳川家康だって、秀吉だって、みな嫁さんをもらってるだろ。福沢諭吉だって、大臣たちだって、嫁さんをもらってるだろ。嫁さんに死なれたら、みんなへなへなになってしまうもんなんだ」

まだ二十一歳の恭一が、中年のような口をきいた。

そうかも知れないと、文治は思った。男にしても女にしても、二人合わせて初めて一人前なのかも知れない。一生一人で立派に生きていける人間は、よほどの人物かも知れないと言える。確かに恭一の言うとおり、もし志津代が、今誰かに嫁ぐとしたら、自分はどんなに取り乱すかも知れないと思う。そしてその痛手は生涯消えまいとも思う。確かに勉強は好きだが、その勉強も手につかなくなるだろう。恭一が言った。

「なあ、文治、お前なあ、遠くから指をくわえて見ているだけじゃ駄目だぞ。これからは、カネナカへの買物はお前が行け。虎穴に入らずんば虎児を得ず、だ」

否も応もなかった。恭一と文治が、八重の父木村春之の所に出かけたのは、その夜だった。

「おお、待ってたぞ」

床の間を背に、どっかと坐った木村医師は、二人の顔を見くらべながら言った。

「先日はどうも……」

恭一が言い、文治も共に両手をついて頭を下げた。その様子を見て、木村医師はあぐらの片膝をぐっとおさえ、

「その様子じゃ、どうやら縁がなかったようだな」

と笑った。

「あの……」

文治は口を開いた。自分自身のことだ。自分で返事をしようと思った。

「実は、ぼく、以前から自分は医者には向かないと思っていました」

「なるほど」

「ぼくは、決断の遅いほうです。患者を診断するのに、右か左か長いこと迷っていては、治すより、手遅れになってしまうほうが多いような気がするんです」

木村医師は大声で笑った。いかにもおかしそうであった。

「なるほど、文治君はそういう性格かも知れん」

「すみません先生。こいつの言うとおり、文治は医者には向かないと思うのです。第一、医者になるには、もっと人間が上等でないと、務まりません。折角ご心配頂いたのに、申し訳ありません」

恭一はまだ緊張していた。

「上等?」

木村医師はまた笑った。ふだんからよく笑うが、今日は特別笑うような気がする。文治はうつむいたまま、その笑い声をすくむような思いで聞いた。

「あのな恭一君、印度(インド)ではな、医者は高利貸や遊女、そして武器を売る商人と同様の、唾棄(だき)すべき商売と見られていたもんだそうだ」

「はあ?」

　恭一も文治も驚いて木村医師の顔を見た。

「ヨーロッパにおいてもな、医者は奴隷の仕事だったんだよ。医者の社会的な地位を向上させようとしたのは、アダム・スミスさ。彼は十八世紀の人間だ。ということはだな、つまりついこの間まで医者は下層階級だったということだ。今だって医者が上等かどうかは、怪しいもんだぞ。うん、怪しいもんだ。要はその医者なる者の心がけ次第さ。これは何も医者には限らんかも知れんがな」

　そう言ってから、木村医師は、

「とにかくわかった。ま、話はなかったことにして、今までどおり仲よくつき合ってもらうとしよう」

　と、話のわかりが早かった。文治は、医師になるまで、これから十年も勉強して、もしその間に再び病気にでもなったら申し訳ない、などの言葉も用意して来たが、そんな言葉は必要なかった。木村医師は、

「李王朝の時にはな、王やその親族の治療が失敗したら、流刑や、死刑になったという話だ。恐ろしい商売だよ、医者は。李王朝ならずとも、わが子が病死した、わが親が死んだとなれば、恨まれるのは医者だ。文治君、医者になどならんのは、うん、利口な道かも知れないぞ」

そんな話をして聞かせはしたが、一言も八重の名が木村医師の口からは出なかった。

八重との縁談はそれで片がついた。どのように木村医師が八重に語り聞かせたか、文治にはわからなかったが、八重はこだわりのない顔で、今までのように山形屋に出入りしていた。そんな八重を見て、恭一は、

「文治、木村先生って、偉い先生だな。断らんかったほうが、もしかしたらお前のためだったかも知れんぞ」

と、言ったことがあった。

とにかく八重のことは一応片づいたが、志津代のこととなると、どのように事を進めて行ってよいかわからない。十一月には村のあちこちで婚礼があった。畳屋の息子も留萌から十五歳の娘を娶った。網元では十八歳の息子が、同じ年の娘と縁組みした。十九歳の文治が、十六歳の八重と縁談があって、何の不思議もなかった。

恭一に命じられて、文治は今まで滅多に足を向けなかったカネナカに、買物に行くようになった。カネナカに向かう時、文治の胸はいつも高鳴っていた。特に坂を下る時は、言

いようのない感情に襲われた。うれしいのでもなく、恥ずかしいのともちがう。戦場に赴く武士のごとき思いがあった。身も心も張りつめて、文治は幾度も呼吸を整えねばならなかった。志津代が店にいる時があった。初めのうち、志津代は文治を見ると、はっと顔をこわばらせて、さりげなく奥に姿を消した。だが一カ月もすると、志津代のまなざしに変化が起きた。何か物言いたげであった。懐かしげでもあった。それだけで文治は満足だった。そんな二人に気づいてか、気づかないでか、三郎は文治に愛想がよかった。

「山形屋さん、いつもご繁昌で……」

文治の買う品数で、山形屋の動静がわかるのだ。

「ほう、今日は忙しいですな。お内儀さんも大変ですね」

などと言って、天ぷらかまぼこの二、三枚余計に包んでくれたりした。この三郎がカネナカに来てから、若い娘たちの買物が増えたという噂を聞いた。確かに噂どおりだと文治も見た。少なくとも若い女たちは、今までよりも長い時間、店でお喋りをしているようだった。つまり客の姿が店に絶えないという印象だった。確かに三郎が来て店に活気が出て来たようにも思う。そんな様子を見ながら、買物をする文治の気持は複雑だった。

文治は自分が三郎と共に、カネナカの店で働く姿を想像してみた。文治には、とても三郎のように、もみ手しながらの愛想のよい応対をすることなど出来そうにもない。それは、年月が経てば馴れるというようなものではないような気がした。「医者は自分の性格に向かない」と木村医師に断ったが、商人はそれ以上に自分には向かないと、文治は思った。が、

（カネナカと志津代とはちがう）

文治はしばしばそう考える。自分が欲しいのは志津代であって、カネナカではない。それを常に、はっきり踏まえておくべきだと、自分自身に幾度か文治は言い聞かせた。が、現実には志津代とカネナカはひとつであった。志津代を娶る者は、カネナカを継ぐ者であった。そのことが文治を憂鬱にさせた。

志津代とは別に、ふじ乃が次第に文治を好ましく思っていくのが、文治にもわかった。文治が店に入ると、ふじ乃は誰よりも大きな声で、

「文治さん、待ってたのよ。今日はもう見える頃だと思ってね」

と、親しげに言うのだ。死んだ順平が文治を心にとめていたほどには、ふじ乃は文治を心にとめてはいなかった筈だ。志津代と文治の心の動きにも、ふじ乃は気づいてはいない筈だ。ふじ乃が文治に好意を見せるのは、ふじ乃自身の気持からであった。カネナカに文治を迎えようとか、志津代に近づけようという底意のないことが、文治にとっては気楽だった。文治自身も、ふじ乃に対して親しみを感ずるようになった。噂に聞いていたふじ乃は、女だてらに男たちにまじって、昼間から花札をもてあそんでいるということだった。勝っ

た時は、苫幌でたった一軒の料理店あかねに仲間を引きつれて、遊びに行くという噂もあった。それはいかにも、ふじ乃を崩れた女に感じさせた。ふじ乃が際立った美貌だけに、男たちと花札をもてあそぶ姿から人々はよからぬ想像をめぐらした。

だが、三日にあげずカネナカの店に買物に行くようになってから、文治は改めて、ふじ乃の気性を見直した。ふじ乃は確かに気性は激しくはあったが、淡泊でもあった。変に粘つくところや、まつわりつくところがなかった。一を聞けば十を知る賢さがあって、のみこみが早かった。文治は文治なりに、ふじ乃が噂よりも清潔な女性に思われてきた。そしてそのことは、文治の喜びでもあった。志津代の母は淫蕩であってはならなかった。カネナカに通うことによって、更にひとつ、意外な文治びいきが現れた。それは新太郎だった。どちらかと言えば無口な文治に、新太郎はなぜかなついた。文治の姿を見ると、飛んで来て文治にまつわりついた。

「にいちゃん、にいちゃん」

と新太郎が文治にまつわりつくと、ふじ乃が目を細めて喜んだ。ふじ乃が文治を気に入ったのは、新太郎が不思議なほどになつく姿を見たためかも知れない。文治には、ふじ乃にとって新太郎がどんな存在かは、まだ知らなかった。新太郎は志津代の弟であった。その弟になつかれるのは、うれしいことだった。だが不思議なことに、新太郎が三郎になつくことはなかった。客には愛想のいい三郎が、時にじろりと新太郎を一瞥することがあって、それが文治には不思議だった。店で遊ぶ新太郎が邪魔なのかと思いはしたが、それ以上のことが文治にわかる筈もなかった。

六

順平が死んでも、年の暮の多忙さに変りはなかった。例年のように、暮の二十八日には、米一升が買物客に配られる。それをめがけて来る客が多く、毎年臨時の手伝いが必要であった。

「文治さん、あんたいやでなかったら、暮と正月の間だけでも、手伝ってくれないかい」

二十日にならぬ前から、ふじ乃は文治にそう頼んでいた。恭一に相談すると、

「願ってもない幸せじゃないか。そうだ、俺も一緒に手伝ってやってもいいぞ」

と、乗り気だった。年末年始に宿に泊る旅人は滅多になかった。二十五日を過ぎると、泊り客はぱたりと途絶え、松の内が過ぎなければ馬橇（ばそり）は客を運んで来なかった。キワは二人の話に何も言わなかった。ふじ乃は恭一も共に手伝うとの申し出に、相好を崩して喜び、嘉助や三郎には事後承諾の形となった。

「旦那が死んだからってね、しめっぽい正月はいやだよ。いつもよりぱっと明るくやろうじゃないの」

ふじ乃の言葉に三郎が言った。

「お内儀さん、苫幌じゃ初荷はないそうですが、札幌の初荷はそりゃあ賑やかですよ」

「初荷って何かい、あの馬橇に荷物を積んで、がんがん石油缶を叩いて走るあれかい」

「そうです。主なお得意さんの所に、年始がてら、味噌でも醬油でも、砂糖でも、売ってくるわけです。手拭いの一本も持って、番頭が顔を出す。幟を立てた馬橇が、威勢よく山の手と浜沿いを走り廻りゃあ、子供たちだって大人だって、そりゃあ喜びますよ」

　三郎の言葉に、ふじ乃も嘉助も大いに賛成した。文治も内心、三郎はやはり根っからの商人に生まれて来たような男だと、感じ入った。馬の手綱は三郎が取ると言った。とすると、三郎と嘉助は、売り初めの日に店をあけることになる。むろんふじ乃や志津代、そして小僧たちがいたが、恭一や文治の応援はカネナカとして、どうしても必要なものになってしまった。

　二日の売り初めの日が来た。朝早くから、文治は恭一と共にカネナカに顔を出した。ふじ乃は待っていたように、二人に匂うような紺の半纏を着せた。背にカネナカと白く染めた半纏を着、角前垂れを下げると、文治は何か妙な気がした。それは予感のようなものだった。自分が本当にカネナカの家に入りこむようになるのではないかと思った。

「まあ！　二人ともよく似合うよ、半纏が。ねえ志津代」

　桃割れに銀のかんざしをさした志津代は、恥ずかしげにうなずいて二人を見た。文治はまだその志津代を、真正面から見ることが出来なかった。紫の銘仙の着物が、志津代の白い顔を、一層際立たせていると思いながらも、文治は目をふせ勝ちだった。

店の前の雪の上に立ててあった大売り出しの赤い旗が、馬橇に括りつけられている。馬橇の上には広い大きな台が据えられ、砂糖や味噌樽、醤油樽などの初荷が山と積まれていた。三郎が暮の中に約束しておいた農家の馬、三歳駒がしきりに前足で雪を掻いている。

「大丈夫かお前」

嘉助が言いながら橇に乗った。三郎も紺の半纏に紺の股引をいなせに着、豆絞りの手拭いを向こう鉢巻きにしめている。

「大丈夫かいって、叔父さん、俺は十年札幌の街を馬橇で走り廻ったんですよ。じゃ行って来ます」

と、三郎はふじ乃に一礼した。乗りこんだ小僧が石油缶を勢いよく叩いた。

「ヤーレヤレヤレ」

三郎が馬の尻に一鞭当てて、大声で囃したと思う間もなく、馬が大きく前肢を上げ、飛び上がったかと思うと狂ったように駆け出した。空缶の音と三郎のかけ声に、農家の馬は驚いたのだ。どれほども行かぬうちに、嘉助も三郎も荷物も、橇の上から投げ出された。あっという間の出来事だった。嘉助は腰と肩を打ち、三郎は味噌樽に頭を打って気を失った。幸い小僧だけは雪の中に飛ばされて、怪我をまぬがれた。行きがかり上、文治がそのままカネナカの手伝いをつづけなければならなくなったのである。一度に嘉助と三郎の二人が寝こんでは、ふじ乃に頼まれるまでもなく、松の内を過ぎても文治はカネナカに通った。

恭一は、

「文治、お前よく考えれよ。俺、応援するからな」

と、幾度も言った。依然として文治は、商いというものに積極的に関わる気持はなかった。だが思ったほどいやな仕事でもなかった。特に商人の才覚一つで、他より安く売る道もあることを知ると、人のために役立つことも出来るのだという喜びも感じた。

嘉助は肩の骨を折り、腰をしたたか打って、当分店に出ることは不可能となった。脳震盪を起した三郎は、腰も痛めていたが、それでも半月ほど経つと、店の仕事をするようになった。今まで嘉助のいた帳場に坐るのは、順序から言えば三郎の筈だった。が、ふじ乃は文治が帳場に坐るように命じた。文治が読み書きも算盤も優れていたからでもある。それにもまして、ふじ乃は文治の人柄に好意を持っていた。口数は多くはないが、文治は天性正直で、真実な人柄だと、時折客たちにおおっぴらにほめてもいた。こうして文治はそのまま三カ月、カネナカの帳場に坐る身となったのだ。

算盤の手を止めて、簾のような軒雫を見るともなく見ていた文治に、三郎が言った。

「文治さん、ちょっとあんたに聞きたいことがあるんだがな」

　客の途切れた今、三郎がゴールデンバットに火をつけながら、帳場の横にあぐらをかいた。小僧に店の前の氷割りを命じてのあとだった。

「何ですか」

　文治は視線を移した。

「いや、実はね、志津代さんのことでね」

　誰もいない店の中で、三郎は一段と声を低めた。

「志津代さんのこと?」

「うん。あのひと、俺のことをどう思っていると思う?」

　三郎は吐いた煙の行方を眺めながら言った。

「さあ、どう思ってるって……」

「そんなこと、気にも留(と)めていないってかい、あんた」

　絡むような言い方だった。

「余り気をつけて見ていないから」

　文治は静かに答えた。

「ふーん、余り気をつけていないか……なるほど」

にやりと笑って、

「じゃ、もう一つ聞くがね。志津代さんはあんたのこと、どう思っていると思う？」

と、真顔になった。

「さあ、聞いて見たこともないので……」

「ふーん、聞いて見たことがないか。じゃ、あんたはあのひとをどう思っているんだい？」

文治は不快だった。志津代が三郎をどう思っているかと尋ねるのはまだいい。この自分が志津代をどう思っているかを、なぜ三郎に告げなければならないのか。文治は言った。

「番頭さんは、いつになったら出て来れるのでしょうね」

「話を外らすなよ」

「ぼくはね、三郎さん、女の人をどう思っているとか、どう思っていないとかいう話は、余りしたくないんです」

「したくない？　どうして？　若い者にとって、女の話は楽しい筈じゃないのか」

「ぼくはね、相手がたとえ誰にしろ、あの女が好きだとか、嫌いだとか、簡単に口から出すのはいやだと言っているんです」

興味本位に聞かれることに対して、文治は本気で答える気がしなかった。志津代を軽々しく扱うようで不愉快だった。

「ふーん。ということは、あんた本気で志津代さんに惚れているということだな」

三郎はもう一本タバコを口にくわえた。文治は黙った。三郎という男が、不意に陰険な人間に思えた。今までも、ふじ乃のいない時には、三郎の態度は微妙に変わった。新太郎をじろりと見る時も、ふじ乃のいない時だった。

（こんな男に、志津代を渡すことは出来ない！）

文治はそう思った。文治が何か言いかけようとした。と、その前に三郎が口を開いた。

「いや、ごめんごめん。気を悪くしないで欲しい。どうやらあんたは、まだ志津代さんに興味を持ってはいないようだ。安心したよ」

「………」

俄かに三郎の声が変わった。

「本当のことを言うとね、文治さん、俺、この店を継ぎたいんだよ。俺はあんたとちがって、十年も札幌の大店(おおだな)で苦労して来たからね、この店を継ぐ力はあると思うんだ。そう思わないかい」

力はある、と文治は言ってもよかった。が、不意に文治の目に、初荷の日、馬橇(ばそり)から跳ね飛ばされた三郎の姿が浮かんだ。そのことと三郎の商人としての実力とは、関わりはない筈だった。しかし文治には、なぜかそれが象徴的に思われた。僅か三カ月しか、カネナ力で働いてはいない。だがその中で考えたのは、商人にとって大切なものは、商才よりも人格のような気がした。三郎のように、ふじ乃や志津代の前とその陰とでは、態度も言葉づかいも変わる人間に、こんな大きな店をまかせられるだろうかと、文治は危ぶまずにはいられなかった。

東京にいた時、文治は本で読んだことがある。

「信用を失った者は、死んだも同然だ」

文治の知らない西洋人の言葉だった。文治はなるほどと、心に留めて読んだ。人間が信用を失うということは、生命を絶たれたも同様のことなのだ。何をしても何を言っても、世間はその人を信用しない。つまりその言行は無に等しいわけだ。母のキワも時折言う。

「一旦信用を失ったら、それを取り返すのに、倍の苦労では足らないのですよ。百倍もの真を見せなければ、元の信用は戻りません」

山形屋は宿屋である。客は安心してその生命を預けるようなものだ。持っている金も、物も、安心して委(まか)せるわけだ。そこでは、いささかでも信用を落すようなまちがいがあってはならないと、キワは文治や恭一に言って聞かせた。

(この三郎が宿屋の亭主だったら……)

その食事は、何かいい加減なものを出されるような気がした。

三郎は、文治が答えないことには、さほど気に留めぬふうに言った。

「まちがってもらっては困るんだがな。俺はこの家の財産が目当じゃない。只ね、何しろ苫幌は田舎だろ。俺も半年ほどこの店にいて、来る客来る客を見ていたが、この店をやって行けそうな若者は、ほとんどない。これは俺が後を継ぐのが、お内儀さんや志津代さんにとっても、一番よいことじゃないかと思ってね」

「………」

「なあに、俺だってあのまま札幌の店にいたら、行く行くは札幌のどこかに、のれん分けをしてもらえた筈だ。こんな田舎の、村で只一軒の何でも屋などより、札幌のほうがやり甲斐がある。何と言っても大きい町はちがうからねえ」

いつしか三郎は、それが癖の片膝を貧乏ゆすりしていた。

「なるほど」

無言をつづけるわけにもいかず、文治はうなずいた。が、いよいよ心の底が見え透いて、憤りよりも淋しい気持になった。三郎は別段、ふじ乃のためでも志津代のためでもなく、自分自身のためにこの店が欲しいのだ。田舎の店とは言え、蔵の三つもある店など、札幌にだってそうざらにはない。毎年鰊の時季に集まって来るヤン衆の数だけでも、馬鹿にはならない。近隣の集落からこの店に買いに来る人の数を数えれば、幾つもの店が並ぶ札幌などとは比較にならぬ売上高だ。そんなことは三郎自身万々承知の筈だった。三郎は志津代よりも、この店が欲しいのだと、文治は思った。

「文治さん、あんたも苫幌の人間だ。このカネナカが大事だと思ったら、俺がこの店を継ぐことが出来るように、協力してくれるだろうな」

三郎の膝のゆれがとまった。

「おや、何を話しこんでいるんだい?」

ふじ乃が奥から出て来た。

「いや、文治さんに商売の話をしていたところで……」

あわてたふうもなく、三郎は両膝をただして答えた。

「商売の話?」

藤色の濃淡の縞柄がふじ乃を粋に見せていた。ふじ乃は横ずわりに坐って、氷割りをしている小僧たちの動きに、ちょっと目を注めたが、

「その商売の話なんだけどねえ。番頭さんがこんなに長く寝こむようになると思わなかったから、ついうかうかと日を過してしまったけどさ、やっぱりこの辺で、店のこともきちんと考えておかなくちゃね」

「ハイ、それがいいと思います」

　三郎は緊張したおももちになった。文治は、自分がこの場にいてよいのか、悪いのか、わからぬような気がして、帳場の横の棚を片づけ始めた。と、ふじ乃がそれを見咎めて、

「文治さん、あんたにもちゃんと聞いてて欲しいんだよ。この店先じゃ、なんだから、二、三日の中に、夜にでもゆっくり相談したいと思ってね」

　それは三郎に言うよりも、より文治に向かって言っているような表情だった。

「はあ。しかしぼくは臨時ですから……」

　文治は口ごもった。

「だからさ、臨時だと思っているらしいから、相談なんだよ。ね、三郎」

「はあ」

　三郎は気のない返事をした。

「とにかくね、文治さん。あんた、出来たらこの店を助けて欲しいんだよ。おっかさんとも、よくそのこと相談してみて欲しいと思ってね」

　三郎の目がちかりと光った。志津代が奥から顔を出した。

「おっかさん。丹前の裏地が欲しいんだけど」

　店に出て来た志津代が、ちらりと先ず文治を見た。文治も思わず志津代を見た。志津代は口もとに笑みを浮かべて、次にふじ乃を見た。

「丹前の裏地ですか」

三郎が素早く呉服棚の傍に立って言った。

「そう」

言ってから初めて志津代は三郎を見た。

「ご精が出ますね。どなたの丹前で？」

「番頭さんのよ」

「番頭さんの？　そんな、もったいない」

藍で染めた裏地を、志津代の前に置いて、三郎は恐縮したように大手を横にふった。

「何がもったいないものか。番頭さんはうちの宝ですからね。宝は大事にしなくちゃね。ね、志津代」

「本当よ。番頭さんのお陰で、この店だってここまで来たんだし」

「いやあ、どうも」

叔父の嘉助を宝と言われて、三郎は頭を掻いた。恐縮しているような仕種だが、顔に俄かに自信がみなぎった。文治はその表情をちらりと見、三郎が番頭の身内であることを改めて思った。番頭自身、心からこの店のことを思って、甥の三郎を札幌から呼んだのかも知れない。ふじ乃がこの店をつづけて行く以上、嘉助の意向に同調するするにちがいない。

とすると、自分のこの店での役割は、単なる一使用人となるであろう。店は欲しくはないが、志津代は欲しいと、文治は吐息の出る思いだった。

（つづく）

曲がり角

〈底本について〉

この本に収録されている作品は、次の出版物を底本にして編集しています。

『三浦綾子全集』（第十二巻）主婦の友社　１９９２年11月11日

〈差別的表現について〉

作品本文中に、差別的表現とも受け取れる語句や言い回しが使用されている場合がありますが、著者が故人であることを考慮して、底本に沿った表現にしております。ご了承ください。

この「手から手へ ～ 三浦綾子記念文学館復刊シリーズ」は、〝紙の本で読みたい〟という三浦綾子文学ファンの声に応えるため、絶版や重版未定のまま年月が経過した作品を、三浦綾子記念文学館が編集し、本にしたものです。

〈シリーズ一覧〉

⑴ 三浦綾子『果て遠き丘』（上・下） 2020年11月20日

⑵ 三浦綾子『青い棘』 2020年12月1日

⑶ 三浦綾子『嵐吹く時も』（上・下） 2021年3月1日

⑷ 三浦綾子『帰りこぬ風』 2021年3月1日

(5) 三浦綾子『残像』（上・下）　２０２１年７月１日

(6) 三浦綾子『石の森』　２０２１年７月１日

(7) 三浦綾子『雨はあした晴れるだろう』（増補）　２０２１年10月１日

(8) 三浦綾子『広き迷路』　２０２１年10月30日

(9) 三浦綾子『裁きの家』　２０２３年２月14日

(10) 三浦綾子『積木の箱』　２０２３年春頃刊行予定

ほか、公益財団法人三浦綾子記念文化財団では左記の出版物を刊行しています（刊行予定を含む）。

〈氷点村文庫〉

⑴『おだまき』（第一号第一巻）　２０１６年12月24日　※絶版

⑵『ストローブ松（まつ）』（第一号第二巻）　２０１６年12月24日　※絶版

〈記念出版〉

(1)『合本特装版　氷点・氷点を旅する』　２０２２年4月25日

(2)『三浦綾子生誕100年記念アルバム　―ひかりと愛といのちの作家』　２０２２年10月12日

〈横書き・総ルビシリーズ〉

(1)『横書き・総ルビ　氷点』（上・下）　２０２２年９月30日

(2)『横書き・総ルビ　塩狩峠』　２０２２年８月１日

(3)『横書き・総ルビ　泥流地帯』　２０２２年８月１日

(4)『横書き・総ルビ　続泥流地帯』　２０２２年８月15日

(5)『横書き・総ルビ　道ありき』　２０２２年９月１日

(6)『横書き・総ルビ　細川ガラシャ夫人』（上・下）　２０２２年12月25日

〈読書のための「本の一覧」のご案内〉

三浦綾子記念文学館の公式サイトでは、三浦綾子文学に関する本の一覧を掲載しています。読書の参考になさってください。左記URLあるいはQRコードでご覧ください。

https://www.hyouten.com/dokusho

ミリオンセラー作家　**三浦綾子**

1922年北海道旭川市生まれ。小学校教師、13年にわたる闘病生活、恋人との死別を経て、1959年三浦光世と結婚し、翌々年に雑貨店を開く。

1964年小説『氷点』の入選で作家デビュー。約35年の作家生活で84にものぼる単著作品を生む。人の内面に深く切り込みながらそれでいて地域風土に根ざした情景描写を得意とし〝春を待つ〟北国の厳しくも美しい自然を謳い上げた。1999年、77歳で逝去。

www.hyouten.com

〒070-8007　北海道旭川市神楽7条8丁目2番15号

電話 0166-69-2626　FAX 0166-69-2611

toiawase@hyouten.com

嵐吹く時も　上

手から手へ〜三浦綾子記念文学館復刊シリーズ③

令和三年三月一日　私家版発行
令和三年十月三十日　初版発行
令和五年二月十四日　第三刷発行

著者　三浦綾子
発行者　田中綾
発行所　公益財団法人三浦綾子記念文化財団
〒〇七〇—八〇〇七
北海道旭川市神楽七条八丁目二番十五号
電話　〇一六六—六九—二六二六
https://www.hyouten.com
価格はカバーに表示してあります。
印刷所　三浦綾子記念文学館・株式会社あいわプリント
製本所　有限会社すなだ製本

© Ayako Miura 2021 Printed in Japan ISBN 978-4-9908389-6-6